新潮文庫

サキ短編集

中村能三訳

新潮社

新 潮 文 庫

サ キ 短 編 集

サ　　　キ
中 村 能 三 訳

新 潮 社 版

1158

サキ短編集　目次

解説　中村能三

サキ短編集

二十日《はつか》鼠《ねずみ》

The Mouse

セオドリック・ヴォラーは、子供の時から中年になるまで、浮世の下劣な現実と呼んでいたものから、彼を護《まも》ることばかり念じていた、あまい母親に育てられて来た。そして、その死とともに、セオドリックは、依然として現実的で、しかも、それほどまでの必要はなかろうと思うほど下劣な世界に、ひとり残された。彼のような性質と教育のものには、とるにたらぬ汽車旅行でさえちょっとした困惑や不愉快だらけで、ある九月の朝、二等車の車室に落ちついた時も、いらだたしい気持と、なんとはない不安を感じたものだった。田舎の牧師館に逗留《とうりゅう》していたのだが、そこの家族は、たしかに不人情だったり、酒飲みだったりではなかったが、家庭のきりまわしとなると、不慮の災難でも招きそうなほど、だらしがなかった。彼を駅まで乗せて行ってくれるはずの馬車はいつでも使えるようになっていたためしはなく、彼の出発が迫っても、必要な道具を持って来るはずの下男が、どこへ行ったやら姿も見えない始末であった。口には出さないながら、ひどく不愉快だったが、さしせまって仕方がないので、セオドリックは牧師の娘と一緒に、小馬に馬具をつける仕事にかからざるを得なかった。そして、そのためには、厩《うまや》と称する、そしていかにも厩らしい臭《にお》いのする――ただし、二十日鼠の臭いのするところを除いての話だが――薄暗い納屋《なや》を探りまわらねばならなかった。実際に二十日鼠が恐《こわ》いというわけではなかったが、セオドリックは二十日鼠を人生の下劣なもののうちに入れ、神はちょっと道徳的勇気を出して、とっくの昔に、それが必要欠くべからざるものではないことを認識し、この世から退散させるべきだったと考えていた。セオドリックの神経質な想像力では、かすかな厩の臭いを発散したり、いつもきちんとブラシをかけた服に、かび臭い藁《わら》が一本二本くっついていそうな気がしてたまらなかった。さいわいに、同室の相客というのは、彼と同じ年頃の女性一人きりで、ひとのあらさがしをするよりは、眠る方に気をとられている様子であった。汽車は一時間ばかりかかる終点までは停車しないはずだし、車室は廊下で連絡していない旧式なので、ほかの乗客がセオドリックがその女性とわかちあった車室に侵入して来るとは考えられなかった。しかも、汽車が持前の速力にも達しないうちに、彼は自分が眠っている女性と二人きりでないことを、不本意ながら、しかしはっきりと認めた。彼は服さえ自分一人で着ているのではないのだ。肌を、じかに生温い、むずむずするものが動きまわるのは、小馬に馬具をつける騒ぎの間に、現在の隠れ家にとびこんだらしい、とまどった二十日鼠の、姿こそ見えぬが、いやというほど身にこたえる、あまりゾッとしない、きわめて不愉快な存在を示していた。そっと足踏みしたり、からだをゆすってみたり、はげしく押えてみたりするのだが、まさに『向上』をモットーとしているらしい、この侵入者を追出すことはできなかった。服の合法的な着用者は、クッションによりかかって、服の共有に終止符を打つ方法はないかと、急いで頭をめぐらせていた。一時間ものあいだ、浮浪二十日鼠ども（すでに彼の想像力は、異邦の侵入者の数を、すくなくとも倍には考えていた）のロウトン・ハウスのようなおそろしい役割をつづけるなど、考えもできないことであった。一方、一部分裸になるくらいの荒療治をしなければ、この苦しみから解放されそうになかったが、たといどんな立派な目的のためにしろ、御婦人の面前で裸になるなどということは、考えても恥しさに耳たぶが赤くなりそうなことだった。女性の前で、スカシ模様の靴下を出すことさえ、彼にはできなかった。しかし——今の場合の婦人は、どこから見ても、ぐっすり眠りこんで、眼をさましそうにはない。一方、二十日鼠は奮闘的な数分間に、渡り職人時代の修業を一気にやってしまうつもりらしい。輪廻《りんね》の思想にもし真理がふくまれているとすれば、この二十日鼠なんか、前身はさしずめ登山クラブ員だったにちがいない。時折、熱心のあまり、鼠は足場を失い、半インチばかり滑りおちる。すると驚いて、あるいは癇癪《かんしゃく》をおこしてという方が当っているかもしれないが、嚙《か》みつくのである。セオドリックは今までにない大胆不敵な企てにとりかかった。砂糖大根のように赤くなり、眠っている相客を苦しそうな眼で見はりながら、彼は手早く、音をたてないように、旅行用の毛布を車室の両側のかぎにかけた。こうすると、車室を横切って、実質上のカーテンができあがった。こうして間に合わせにつくった狭い更衣室の中で、彼は自分のからだの一部分と、二十日鼠のからだ全体を、ツゥイードや半毛の被覆物から大急ぎで解放しはじめた。解放された二十日鼠が猛然と床へとびおりると、毛布も両端のかぎからはずれ、心臓の縮まるような音とともに、パタリと落ち、それとほとんど同時に、眼をさました婦人が眼をひらいた。二十日鼠に劣らぬほどの敏捷《びんしょう》な動作で、セオドリックは毛布をとりあげるなり、そのたっぷりした布地を裸のからだに顎《あご》までなげかけ、車室の反対の隅にうずくまった。血が奔流のごとく流れ、頸《くび》や額で脈うった。彼は口をきくこともできず、非常報知紐《ひも》が引かれるのを待った。ところが、相手の婦人は、妙なものにくるまっている相客を、黙って見ているだけであった。どこまで彼女は見たのだろう、とにかく、いったい彼の現在の姿を、彼女はなんと思っているだろう、と彼は考えた。

「風邪をひいたらしいんですよ」と彼は絶体絶命の気持で云《い》った。

「そりゃいけませんわね」と彼女は答えた。「わたし、窓を開けて下さるようにお願いしようと思っていたところでしたわ」

「マラリヤじゃないかと思うんです」と彼は云いそえたが、自分の考えの正しいことを見せようとするというよりも、恐怖から、歯をかすかにガチガチならしていた。

「わたしの合財袋にブランディがありますわ、おろしていただけませんかしら」

「とんでもない――いや、そんなことしていただかなくていいんですよ」と彼は懸命に弁解した。

「きっと熱帯でおかかりになったんでしょうね」

熱帯といえば、セイロンに住んでいる伯父から、毎年一回、お茶を一箱送って来る以外には、なんの関係もないセオドリックは、マラリヤまでが逃げ出しそうな気がした。ことの真相を、すこしずつなしくずしに打明ける方法はないものだろうか、と彼は考えた。

「あなたは二十日鼠はこわいですか」と彼は、今まででさえ真赤だった顔を、いっそう赤くしながら云った。

「ハット僧正を食い殺したように、たくさんでなければね。どうしてそんなことをおききになりますの」

「いま、ぼくの着物の中で、一ぴき這《は》いまわっていたもんですからね」とセオドリックは、自分のものではないような気のする声で云った。「どうも始末におえなかったですよ」

「そうでございましょうとも、ちゃんと着物を召してらっしゃるんでしたらね。でも、二十日鼠って、妙なところが好きなものですわね」

「あなたが眠ってらっしゃる間に、追出そうと思いましてね」と彼は云ったが、ゴクリと唾《つば》をのみこんで云いそえた。「追出すには追出したんですが、お蔭《かげ》で——この始末なんです」

「小さな二十日鼠をぬいだって、まさか風邪はひかないでしょうにね」と彼女は云ったが、その調子はセオドリックには不愉快なほど軽薄であった。

あきらかに、彼女は彼の切羽つまった状態にいくらか気づいて、彼の混乱を享楽《きょうらく》しているらしかった。からだじゅうの血が逆上して顔だけに集まったかに思われ、一万匹の二十日鼠よりもひどい、屈辱の苦悩が、彼の心をはいずりまわった。そして、よくよく考えるにつれて、単なる恐怖が恥しさにかわった。一分ごとに、汽車は人で雑《ざっ》杳《とう》した終着駅に近づいている。着けば、車室の向うの隅から、いま化石したように自分を見ている眼が、たくさんの人々のジロジロ怪しそうに見る眼と、とってかわるのだ。絶体絶命のわずかなチャンスがあるが、それはこの数分間のうちに、どちらかにきまらなければならない。相客の婦人が、うまくまた眠るかもしれないのだ。しかしすこしずつ時はすぎるにつれて、その望みもはかなく消えて行った。セオドリックは時折そっと盗み見るのだが、相手は瞬《まばた》きもしないで、眼をぱっちり開けているのだ。

「もうそろそろ着く時分ですわね」とやがて彼女が云った。

セオドリックは、つのりゆく恐怖のうちに、終着駅の前触れをなす、小さな、汚ない家の群が、つぎからつぎへと現われるのに、さっきから気づいていた。彼女の言葉は、合図の代りになった。狩り出された獣が隠れ場からとび出し、束《つか》の間《ま》の安全を托《たく》する他の隠れ場へ、猛然と逃げこむように、彼は毛布をパッと投げすてると、ぬぎすてた着物をめちゃくちゃにまとった。彼は、さびしい郊外の駅が窓外をすぎるのや、咽喉《のど》にかたまりがつかえるのや、心臓が高鳴るのや、車室の隅の氷のような沈黙などを意識していた。やがて、着物を着おわり、ほとんど放心したようになって、彼がふたたび席に腰をおろすと、汽車は速力をおとして、いよいよ終着駅についた。すると婦人が云った。

「まことにすみませんけど、赤帽を呼んで、馬車まで送らせていただけませんでしょうか。御病気のところ、お手数をおかけして、お気の毒でございますけど、眼が見えないものですから、停車場なんかではまるで一人歩きができないんでございますよ」

平和的玩具《おもちゃ》

The Toys of peace

「ハーヴィ」とエリナー・ボープは三月十九日のあるロンドンの新聞の切抜きを（訳注 これは一九一四年三月の、あるロンドンの新聞の実際の抜萃である）兄に渡しながら云《い》った。「この子供の玩具というところを読んでちょうだい。感化とか教育とかについてのわたしたちの考えの幾分かを、はっきり実行にうつしているわ」

「国民平和会議の意見によれば」とその抜萃には述べてあった。「われわれの少年に、戦闘兵の聯隊《れんたい》、砲兵の中隊、『弩級《どきゅう》戦艦』の艦隊を与えることには、由々しい害悪がある。当会議の認めるところによれば、少年は元来、戦うことや戦争のあらゆる兵器を好むものである……しかし、彼らの幼稚な本能を奨励し、おそらくはそれに不変の形を与えるべき理由はない。オリンピアに於《おい》て、三週間開催される児童福祉展覧会において、平和会議は、『平和的玩具』として、それに代るべきものを、世の両親たちに提示するであろう。ハーグの平和宮の絵の前には、兵隊の人形のかわりに文官の人形が、銃砲のかわりに農具や工作器具がならべられている……玩具店においても好結果を予想し得べき、この展示品より、生産者が示唆《しさ》をうけることを期待する」

「たしかに興味あり、きわめてよき意図をもった考えだね」とハーヴィは云った。「ただし、実際問題として、はたして成功するかどうかは――」

「わたしたち、やるだけはやってみなきゃ」と妹は口をはさんだ。「兄さんは復活祭にはうちに来て、いつも子供たちに玩具《おもちゃ》を持って来て下さるでしょう。新しい実験をはじめるには、すばらしい機会じゃないの。玩具屋に行って、平民の生活で、もっと平和的な方向に特別の意味のある玩具を買って来て下さいな。もちろん、子供たちにはその玩具のことを説明して、この新しい考えに興味を持つようにして下さるのよ。スーザン伯母さまが下すった『アドリアノプル攻撃』の玩具は、残念ながら、説明する必要がなかったわ。子供たちは軍服も旗も、敵味方の司令官の名まですっかり知っていて、ある日なんか、とてもいやらしい言葉を使っているので注意すると、ブルガリヤの号令だなんて云うの。そりゃもちろん、ブルガリヤの号令だったかもしれないけど、ともかく、その玩具はとりあげてしまったわ。兄さんの復活祭の贈り物が、子供たちの心に、新しい刺激と方向とを与えるのを、わたし、おおいに期待するわ。エリックはまだ十一にもならないし、バーティは九つと半年にしかならないのよ。ほんとに影響されやすい年頃なのよ」

「原始的な本能というものがあるから、それを考慮にいれなきゃならないし」とハーヴィは自信なさそうに云った。「それに、遺伝的傾向もあるしね。あの子たちの大伯父さんには、インカマンの戦いで、とてもひどいことをした人がいるんだよ——たしか、虐殺《ぎやくさつ》で特に有名だった人がね——それから曾祖父《ひいおじい》さんというのは、一八三二年の選挙法改正条例が通過した時、近所の民権党員の温室をぶちこわしてまわったというからね。それにしても、きみの云う通り、あの子たちは影響されやすい年頃だよ。できるだけのことはやってみよう」

復活祭の土曜日に、ハーヴィ・ボープは、いかにも曰《いわ》くありげな、大きな、赤いボール箱の包みを、甥《おい》たちの期待にみちた眼の前でといた。「伯父さまが、いちばん新式の玩具を持って来て下すったのよ」とエリナーは感銘を与えるように云った。それで、子供たちの予想はアルバニヤの軍隊と、ソマリの駱駝《らくだ》隊《たい》とにわかれて、むずむずしていた。エリックはソマリの駱駝隊の方を熱心に待ちもうけた。「馬に乗ったアラビヤ人だぜ」と彼は小さな声で囁《ささや》いた。「アルバニヤ人はすてきな軍服を着ているんだ。そして、一日じゅう戦争をするんだ。お月さまが出てれば、夜だってやるんだぜ。

でも、岩だらけの国だから、騎兵はいないんだ」

蓋《ふた》をあけると、まずあらわれたのは、たくさんの縮れた紙の詰め物だった。感激的な玩具はつねにこうしてはじまるものである。ハーヴィは一番上の詰め物を押しやって、四角な、これといった特徴もない建物をとり出した。

「要塞《ようさい》だ！」とバーティが叫んだ。

「そうじゃないよ。アルバニヤのムプレトの宮殿だよ」とエリックは、こんな外国の称号を知っているのを、ひどく得意になって云った。「ほら、窓がないだろう、だから、外から王様のうちのものを射《う》つことができないのさ」

「これは町の塵箱《ちりばこ》だよ」とハーヴィはあわてて云った。「町の塵やゴミをみんなこの中に集めるんだ。そこらに散らばして、町の人の健康を害さないようにね」

おそるべき沈黙のうちに、彼は黒い服を着た、小さな鉛の人形をとり出した。

「これは有名な学者のジョン・ステュワート・ミルだよ。経済学の大家なんだ」

「なぜ？」とバーティがたずねた。

「まあ、自分でなりたかったからだな。経済学の大家になるのは、いいことだと思ったんだよ」

バーティは意味ありげに鼻をならしたが、それは一向に面白くもないという彼の意見をあらわしたものだった。

またひとつ四角な建物が出て来たが、今度のには窓も煙突もあった。

「基督教徒婦人協会《ワイ・ダブリユー・シー・エー》のマンチェスター支部の模型だ」とハーヴィが云った。

「ライオンがいるの?」とエリックが期待にあふれてたずねた。ローマ史を読んだことがあったので、キリスト教徒のいるところには、当然、ライオンの四五頭はいてもいいはずだと思ったのである。

「ライオンなんかいないよ」とハーヴィは云った。「これも軍人じゃないよ。ロバート・レイクスといってね、日曜学校をつくった人なんだ。これは町の洗濯場。この小さなまるいものは、衛生的なパン焼工場で焼いたパン。その鉛の人形は衛生検査官、これは地方議員、これは地方自治委員会の委員だよ」

「この人はなにをするの?」とエリックが退屈そうにたずねた。

「自分のお役所に関係したことを監督するのさ」とハーヴィは云った。「この小さな孔《あな》のある箱は、投票箱だよ。選挙の時、投票用紙をこの中に入れるんだ」

「ほかの時はなにを入れるの」とバーティがたずねた。

「なんにも入れないよ。それから、これはいろんな仕事に使う道具。手押車、鍬《くわ》、それから、これはホップの支え木だろうね。これは蜜蜂《みつばち》の巣箱の模型、これは下水の換気をする換気装置。これも町の塵箱のように見えるだろう――ところが、そうじゃない。美術学校と図書館なんだ。この小さな鉛の人形は、詩人のヒマンズ夫人、これは郵便切手を考え出したローランド・ヒル。これは天文学の大家のジョン・ハーシェル卿《きょう》だよ」

「ぼくたち、この兵隊じゃない人形で遊ぶの？」とエリックがたずねた。

「もちろん」とハーヴィは云った。「これは玩具《おもちゃ》だよ。遊ぶために作ってあるんだよ」

「でも、どんな風にして？」

これはいささか難問だった。「そのうちの二人を、代議士の候補に立たせるんだな。そして選挙をして――」

「腐った卵をぶっつけたり、勝手に殴《なぐ》りあったり、たくさんの人が頭を割られたりするんだ！」とエリックが叫んだ。

「それから、鼻血を出したり、みんな酔っぱらったりするんだね」と、ホガースの漫画をよく見ていたバーティが相槌《あいづち》をうった。

「そんなのじゃないよ」とハーヴィが云った。「そんなことがあるもんか。投票箱に投票用紙を入れると、市長がそれを数える――市長のかわりに、地方評議員がやってもいい――それから、どっちの候補者がよけい投票されたか、市長が云う。すると、二人の候補者は、立派に管理してくれたお礼と、選挙が愉快に、正しく行われたことを云い、お互いに相手に対する尊敬の言葉を云って別れるのだ。きみたちのような子供には、まったくすばらしい遊びだよ。伯父さんの子供の頃には、こんな玩具はなかったね」

「今からすぐこれで遊ぶのはよそうっと」とエリックは、伯父さんが示したような情熱は、ぜんぜん見せずに云った。「お休みの宿題をしなけりゃいけないんだよ。今度は歴史なんだ。フランスのブルボン朝のことを勉強しなきゃならないんだよ」

「ブルボン王朝か」とハーヴィは、声にいささか不賛成の意をこめて云った。

「ルイ十四世のことを覚えなきゃならないんだよ」とエリックはつづけた。「ぼく、大事な戦争の名は、もうすっかり覚えてるよ」

これはいけない。「そりゃルイ十四世時代にも、いくつか戦争はあったさ」とハーヴィは云った。「だが、その話はずいぶん大袈裟《おおげさ》になっているんじゃないかと思うね。その頃の話というのは、とても当てにならなかったし、第一、従軍記者なんていなかったんだからね、将軍とか司令官は、どんな小さな小競合《こぜりあい》だって、まるで大戦争だったみたいに云えるのさ。ルイは事実有名だったよ、ただし、庭造りとしてね。ヴェルサイユのつくり方はとても大したものだったので、ヨーロッパじゅうで真似《まね》をされたものだよ」

「マダム・ド・バリのこと、伯父さん、知ってる？」と、エリックがたずねた。「首をちょん切られたんだってね」

「この人も庭造りが大好きだったんだ」とハーヴィは逃げた。「事実、有名なド・バリというバラは、この人の名をとってつけられたんだよ。ところで、きみたちは少しばかり遊んで、勉強の方は後にした方がいいと思うね」

ハーヴィは書斎にひっこんで、三四十分のあいだ、戦争とか、虐殺とか、血なまぐさい陰謀とか、変死とかを特に取上げない、小学校用の歴史を編纂《へんさん》することはできないものだろうかと考えていた。彼も認めるところだが、ヨークやランカスター時代、ナポレオン時代には、相当困難な問題が出るだろうし、三十年戦争にぜんぜん触れないとなると、歴史に穴があくだろう。それにしても、きわめて影響をうけやすい年頃に、子供たちの注意を、スペインの無敵艦隊だとか、ウオーターローの戦いとかでなしに、キャラコの染色の発明に向けられたら、なにほどかの役には立つだろう。

子供たちの部屋へ行って、あの平和的玩具でどんな風に遊んでいるか、見て来てもいい時分だと彼は思った。ドアの前まで来ると、大将になって、どなっているエリックの声が聞えた。バーティが合間々々に、気のきいた思いつきをはさんでいた。

「それがルイ十四世だよ」とエリックが云っていた。「膝《ひざ》までのズボンをはいている、ほら、伯父さんが日曜学校をつくった人だって云ってたやつさ。ちっともルイ十四世らしくないんだけど、間にあわせるんだよ」

「そのうちに、ぼくの絵具で、紫色の上衣を着せようよ」とバーティが云った。

「うん、それから赤い靴をね。これがマダム・ド・マントノンさ、伯父さんがヒマンズ夫人て云ってたやつだよ。この人がルイに今度の戦争には行かないようにって頼んだんだけど、ルイはまるで耳をかさないんだよ。それから、サクス元帥《げんすい》をつれて行くんだけど、兵隊も多勢つれて行くことにしてみようよ。合言葉は、『誰か?《キ・ヴイヴ》』答えは、『わしは国家じゃ《レタ・セ・モワ》』——これはルイ十四世のいつも使う言葉なんだぜ。夜の闇《やみ》にまぎれてマンチェスターに上陸すると、ジェイムズ党員の裏切者が、要塞の鍵《かぎ》をわたすんだ」

ハーヴィがドアの隙間《すきま》からのぞいてみると、町の塵芥箱は、架空の大砲の砲口にするために、孔がいくつもあけられ、今やマンチェスターの主要防禦地《ぼうぎょち》になっていた。ジョン・ステュワート・ミルは赤インクをたっぷりと塗られて、サクス元帥のかわりになっていた。

「ルイは基督教徒婦人協会《ワイ・ダブリュー・シー・エー》を包囲して、みなを捕えるように、軍隊に命令するんだ。

『ルーブルに帰れば、女たちはわしのものじゃ』とルイが云うんだよ。ぼくたち、またヒマンズ夫人は、そこの女の一人にしなきゃいけないいな。その女は『断じて』と云って、サクス元帥の心臓を刺すんだ」

「血がいっぱい流れる」とバーティは叫んで、協会の建物の正面に、惜しげもなく、赤インクをぶっかけた。

「兵隊たちはドッとばかり駆けこんで、元帥の仕返しに、ひどい乱暴をはたらくんだ。百人の女が殺されるんだよ」――ここでバーティは、この呪《のろ》われた建物に、赤インクの残りをぶちまけた――「そして、生き残った五百人は、フランスの船へ引っぱって行かれる。『わしは元帥を一人失った。だが、空手では帰らん』とルイが云うんだ」

ハーヴィはそっと子供部屋をはなれて、妹のところへ行った。

「エリナー、実験は――」

「どうだった?」

「失敗したよ。はじめるのが遅かったよ」

肥《ふと》った牡《お》牛《うし》

The Stalled Ox

テオフィル・エシュリーは、職業は画家であり、四囲の情況に余儀なくされて、牛専門の画家になっている。といっても、彼が牧場を経営し、角や蹄《ひづめ》や、搾乳床几《さくにゅうしょうぎ》や焼印ばっかりの中で暮しているというわけではない。彼の家は、わずかに市外という汚名をまぬがれただけの、猟園風の、別荘の散在する地域にある。庭の一方は、小さな、絵のような牧草地に接し、企業心に富んだ隣人が、そこで、小さな、絵のようなチャネル・アイランド種の牝牛《めうし》を飼っている。夏の真昼など、一群のクルミの樹蔭《じゅいん》に、二《は》十《つ》日鼠《かねずみ》のようにつやつやした膚《はだ》に、まだらな陽をうけ、高い牧草に膝《ひざ》まで埋れて、牛どもは立っていた。エシュリーはクルミの樹《き》、牧場の草、洩《も》れる陽光などの舞台装置の中の、静かな二頭の乳牛という、優美な題材を考えついた。そして、王立美術院は、夏期展覧会の壁面に、当然のことながら、これと同じ絵をかけていたのである。王立美術院なるものは、その追随者の、柔順な模倣的な習慣を慫慂《しょうよう》するものである。エシュリーはクルミの樹の下で、絵のようにまどろんでいる牛の絵を描き、成功と名声をかちえた。そして、描きはじめたからにはやむをえず、そのまま描きつづけた。クルミの樹の下にいる二頭の焦茶色《こげちゃいろ》の牝牛の習作『真昼の平和』の次に発表されたのは、樹下に二頭の焦茶色の乳牛のいるクルミの樹の習作『真昼の聖所』であった。その後、順をおうて、すべてクルミの樹と焦茶色の乳牛の習作、『アブも来ぬ場所』、『牛の安息所』、『牛の国の夢』が発表された。自分の伝統を破ろうとする彼の二つの野心作は、たいへんな不評をこうむった。『ハイダカに怯《おび》えるヤマバト』及び『ローマ近郊平原の狼群《ろうぐん》』は、いとうべき異端として、アトリエに送りかえされた。そこでエシュリーは『まどろむ乳牛の夢みる樹蔭』をひっさげて、ふたたび優美さと、世間の注視の中に立帰ったのであった。

晩秋のある午後、彼が牧場の草の習作に、仕上げの筆を入れていると、隣家のアデイラ・ピングスフォードがアトリエの扉を、いやおうない勢いで叩《たた》いた。

「うちのお庭に牛が来てるのよ」と彼女は、この暴風的な侵入の説明として云《い》った。

「牛がね」とエシュリーは放心したように、いささか白痴めいて云った。「どんな種類の牛？」

「まあ、種類なんか知るもんですか」とアディラはきめつけた。「へいぼんな牛よ、ただあたしが困ってるのは、そのへいの方なの。花園はいま冬の用意に整理したところでしょう、牛にへいのうちを散歩してもらうのは、有難くないわ。おまけに、菊の花が咲きかけたところなのよ」

「どうやって庭にはいりこんだのです?」とエシュリーはたずねた。

「多分、門からだろうと思うわ」とアディラはじれったそうに云った。「塀をのぼれるわけはないし、ホヴリルの宣伝のために、飛行機で空から落したとも思えませんからね。目下の大問題は、牛がどうやってはいって来たかではなくて、牛をどうやって出すかなのよ」

「出て行きそうもありませんか」

「牛がひとりで出て行くつもりなら」とアディラはいささか腹をたてて云った。「お宅に来て、あなたとこんな話をしてるわけがないじゃありませんか。あたし、今ひとりっきりなのよ。女中は休みをとって出かけたし、料理人は神経痛が起って寝てるのよ。小さな庭から大きな牛を追い出す方法なんて、学校時代か卒業後か、習ったかもしれないけど、もうすっかり忘れてしまったらしいわ。やっとのことで思いついたのは、あなたが隣にいらして、牛専門の画描きさんだから、お描きになる題材のことは、多少とも、さだめし知ってらっしゃるだろうし、ちょっと手をかしていただいたらっていうことなの。あたしの思いちがいだったらしいわ」

「そりゃたしかにぼくは牛を描きますよ。でも、迷いこんだ牛を駆り集めた経験はないようですな。もちろん、映画でそんな場面を見たことはありますがね、そんな時には、いつも馬だとか、そのほかいろんなものを使うんですよ。それに、そんな映画なんて、どこまでがほんとで、どこまでが作りごとかわかったものじゃありませんからね」

アディラ・ピングスフォードはなにも云わず、先に立って、自分の家の庭へ彼をつれて行った。普通からいえば、かなりの広さの庭なのだが、この牛とくらべると、小さく見えるほどだった。頭と肩のあたりのくすんだ赤が、横腹と臀部《でんぶ》では汚れた白になり、もしゃもしゃ毛のはえた耳と、大きな血ばしった眼をした、巨大な斑牛《まだらうし》なのである。この牛と、エシュリーがいつも描いている、ゆうに優しい若牛とでは、クルジスタンの遊牧民の酋長《しゅうちょう》と、ニッポンのゲイシャほどのちがいだった。エシュリーは門のすぐそばに立って、牡牛のようすと行動とを見まもっていた。アディラ・ピングスフォードは、相変らず無言をつづけた。

「菊の花を喰ってますね」とエシュリーは、沈黙にたえられなくなって云った。

「なかなか観察力は鋭いのね」とアディラは皮肉たっぷりに云った。「なにひとつ見逃しちゃいらっしゃらないようだわ。実をいうと、現在、菊の花を六つ口に入れてるところなのよ」

なにかの処置を講ずることは、絶対に必要となりつつあった。エシュリーは牛の方へ一二歩足を踏み出し、手をたたき、「シッ」とか「シュッ」とかいう種類の声を出した。牛はこの声を聞いたにしても、見たところ、そういうようすは見せなかった。

「ニワトリが庭に迷いこんだら、あなたを呼びに行って、追出してもらうといいわね。あなたの『シュッ』って云うの、とてもうまいわ。ところで、あの牛を追い出して下さらない？　いま食べにかかったのは、『マドモワゼル・ルイズ・ビショー』なのよ」あざやかなオレンジ色の花がもぐもぐやっている巨大な口で嚙《か》みくだかれるのを見ながら、彼女はひややかに落ちつきはらって云った。

「あなたが菊の種類をそれほど正直に打明けて下さるのでしたら、ぼくの方も、これはエアシャ種の牡牛だということを、教えてあげましょう」

彼女のひややかな落ちつきは、たちまちすっとんだ。たいへんな権幕でわめいたので、エシュリーは本能的に牛の方へ二三歩近寄った。彼はエンドウの支えにした棒をとりあげ、決然として、牛の斑の横腹めがけて投げつけた。『マドモワゼル・ルイズ・ビショー』を砕いて、花びらサラダにする作業は、ながい間かたづかなかった。その間、牛は不審そうに、じっと棒を投げつけた男を見つめていた。アディラも同じように、じっとエシュリーを見ていたが、それにはあきらかに敵意がこもっていた。牛が頭をさげもせねば、歩き出しもしないので、エシュリーはまた一本エンドウの棒を引抜いて、槍《やり》投げをやってみた。牛はすぐに、これは行けというのだな、と悟ったらしかった。そこで、今までは菊があった花壇を、最後にすばやく踏みにじっておいて、急いで庭を歩き出した。エシュリーは牛を門の方へ向けようと走り出したが、かえって歩いていた牛を、ドタドタと駆け出させただけのことであった。不審そうなようすではあるが、べつに躊躇《ちゅうちょ》する気配もなく、牛は、寛容なる人のみがクロケット・ローンと称している、狭い芝生を横切り、開けはなしたフランス窓から、居間へとはいりこんだ。部屋の中には、菊の花や、その他の秋草が花瓶にいけてあったので、牛はまたそれをムシャムシャやりだした。だが、その眼には、追いつめられたものの眼色、注意を勧告する眼色の前触れが浮んだような気がエシュリーにはした。そこで、彼は牛が環境を選択することを妨害するのはやめた。

「エシュリーさん」とアディラは声をふるわせて云った。「わたくし、牛を庭から追い出して下さいと頼んだんで、家の中に追いこんで下さいと頼んだんではございませんよ。屋敷の中にどうしても入れておかねばならないのなら、居間よりは庭の方がましですわ」

「牛追いというのは、ぼくの商売じゃありませんのでね。ぼくの記憶に誤りがなければ、そのことはそもそものはじめからご諒解《りょうかい》を得ておいたはずですよ」

「ごもっともさま。きれいな小さい牝牛のきれいな絵をお描きになるのが、あなたにはお似合いですよ。たぶん、あたしの居間でのろのろとしているあの牛のスケッチでもなさりたいんでしょう」

今度はさながら「一寸の虫にも五分の魂」といわんばかりの勢いであった。エシュリーは大股《おおまた》に歩きだした。

「どこへいらっしゃるの?」とアディラは叫んだ。

「道具をとりに」

「道具? あたし、投げ縄《なわ》なんか使ってもらいたくないんです。格闘にでもなったら、部屋は滅茶々々《めちゃめちゃ》ですわ」

しかし、エシュリーは庭から出て行ってしまった。そして、二三分すると、画架や三脚椅子《いす》や絵具などを持って引返して来た。

「牛があたしの居間を滅茶々々にしているというのに、あなたはすまして、その牛を描こうっておっしゃるの」とアディラはあえぐように云った。

「あなたの言葉で思いついたんですよ」とエシュリーはカンヴァスを適当なところに据えながら云った。

「あたし、そんなことは許しません、ぜったいに許しません！」とアディラは叫んだ。「この問題で、あなたにどれだけの発言権がありますかね。たとい養子縁組にしろ、まさかこれを自分の牛だとは云えますまい」

「ここはあたしのうちの居間で、あたしの花を食べてるんだということを、あなたは忘れてらっしゃるようね」

「あなたは料理人が神経痛だということを忘れておいでのようですね。やっと今、痛みを忘れて、眠りかかっているかもしれませんよ。すると、あなたがそんなにどなり散らすと、眼をさましてしまいますよ。他人のことを考えてやることは、われわれのような身分のものの第一の主義としたいものですね」

「男って気狂《きちが》いだわ！」とアディラは悲劇的に叫んだ。そして、すぐその後で、気狂ったように見受けられたのは、アディラの方であった。花瓶の花と『イズラエル・カリシュ』の表紙を胃の腑《ふ》におさめてしまった牛は、ここが少し窮屈になったので、出て行こうかと考えているようすだった。牛がそわそわしだしたのにエシュリーは気づき、もっと坐《すわ》っておかせるため、ツタの葉の束を、いそいで投げてやった。

「はっきりとは憶《おぼ》えていませんが」とエシュリーは云った。「なんでもこんな意味の諺《ことわざ》がありましたね。『きらいな人のいる家の肥った牛より、菜っ葉の方がうまい』ってね。われわれは、どうやらこの諺どおりの要素を、手近かに持っているようですな」

「図書館に行って、警察に電話をかけてもらいます」とアディラは云うと、プンプンしながら出て行った。

しばらくすると、牡牛は、油糟《あぶらかす》と飼料のチサがどこかの自分の牛舎で待っているのじゃないかと思いついたらしく、警戒しいしい居間から出て、もう邪魔もしなければ、エンドウの棒を投げもせぬ人間を、鹿爪《しかつめ》らしく、探るように見やってから、重々しく、だが、すばやく庭から出て行った。エシュリーも道具を片付けて、牛の例にならい、『雲雀谷荘《ひばりたにそう》』は神経痛と料理人とだけになった。

この挿話はエシュリーの画家としての一生の転機であった。彼の驚異的な作品『晩秋の居間における牡牛』は、次の年のパリのサロンで、センセーションを起し、大成功をおさめ、その後ミュンヘンで公開された時、三つの肉汁会社が猛烈に競《せ》りあったにもかかわらず、バヴァリア政府が買いあげた。その時以来、彼の成功はもはや一時的のものではなく確保され、王立美術院は、二年後、彼の大作『貴婦人の居間を荒す無尾猿』のために、その壁面の最上の場所を、よろこんで提供した。

エシュリーはアディラ・ピングスフォードに、新しい『イズラエル・カリシュ』一部と、見事な花をつける『マダム・アンドレ・ブリュッセ』を二株贈った。しかし、実際の和解らしいものは、二人の間にはまだ結ばれていない。

狼《おおかみ》少年

Gabriel-Ernest

「きみのうちの森には野獣がいるね」と停車場へと馬車で行く道、画家のカニンガムが云《い》った。みちみち彼が口をきいたのはこれだけだったのだが、ヴァン・チールはたえずしゃべりつづけていたので、相手の黙りこくったようすには気がつかなかった。

「迷いこんだキツネの一匹か二匹、それに棲《す》みついたイタチが何匹か、それ以上おそろしい獣はいないよ」とヴァン・チールは云った。画家はなにも云わなかった。

「野獣って、どんなものだい」とヴァン・チールは、のちほどプラットフォームで云った。

「なんでもないさ。ぼくの妄想だよ。ああ、汽車が来たよ」とカニンガムは云った。

その日の午後、ヴァン・チールはときどき訪れる所有地の中の森へ散歩に行った。彼は書斎にサンカノゴイの剝製《はくせい》を持っていたし、たくさんの野草の名を知っていたので、伯母が彼のことを大博物学者と云うのも、根拠のないことではなかった。いずれにしろ、彼は大散歩家であった。散歩中、眼についたものを何でも記憶にとめておくのが習慣だったが、それは現代の科学に貢献するためというより、あとあとの話題にするためであった。野生ヒヤシンスが咲きはじめると、彼は誰にでもかならずそのことをしらせた。そういうことは、なにも彼にしらせてもらわなくとも、季節季節が教えてくれるのだが、人々は、彼がすくなくとも絶対に隠しだてをしない人間であることを感じたものだった。

しかし、その日の午後ヴァン・チールが見たものは、彼の平常の経験の範囲をはるかに逸脱したものであった。槲林《かしわ》の窪地《くぼち》の深い沼に突出た、なめらかな岩の上に、十六歳ばかりの少年が腹ばいになり、濡《ぬ》れた褐色の四肢を、ながながと伸ばして、陽にかわかしていた。いま水から出て来たばかりらしく、濡れて、いくつにもわかれた髪は、頭にぴったりくっつき、ほとんど獰猛《どうもう》なほどの輝きをもった、あかるい、淡褐色の眼は、ヴァン・チールの方へ、ものぐさげな油断なさで向けられていた。あまり思いがけなかったので、話しかける前に、ヴァン・チールは異常な思考経路をたどっていた。いったい、この野性的な少年は、どこから降って湧《わ》いたのだろう。水車屋の女房の赤ん坊が二カ月ばかり前、行方不明になり、水車溝に落ちこんで流されたのだろうといわれているが、それにしても、それはこんな半ばおとなの若者ではなく、ほんの赤ん坊だったのだ。

「そんなところでなにをしてるんだい」とヴァン・チールはたずねた。

「ごらんの通り、日なたぼっこしてるのさ」と少年は答えた。

「どこに住んでるんだい」

「この森の中だよ」

「森の中なんか住めるわけないじゃないか」

「すてきな森だぜ」と少年は云ったが、その声は、いかにもこの森が気にいっているらしい調子であった。

「だが、夜はどこで寝るんだい」

「夜は眠らないよ。忙しいからね」

ヴァン・チールは、つかまえどころのない問題と取組んでいるような気がして、いらいらして来た。

「なにを食べて暮してるんだい」

「肉だよ」と少年は云ったが、さながら今その肉をあじわってでもいるように、舌なめずりせんばかりにその言葉を云った。

「肉！　なんの肉だい」

「聞きたけりゃ云うがね、家兎《いえうさぎ》、野鳥、野兎、鶏、旬《しゅん》の仔羊《こひつじ》、人間の子供などさ、こいつはうまく手に入ればの話だがね。夜はおれの書き入れ時なんだけど、人間の子供は、たいてい夜になると、家の中にとじこめておくんでね。最後に子供の肉を食ってから、もう二カ月にもなるよ」

最後の言葉のからかうような調子は無視して、ヴァン・チールは、この少年が密猟をしているのではないかと、カマをかけてみた。

「野兎を食って生きているなんて、ずいぶん大風呂敷《おおぶろしき》をひろげるね」（大風呂敷にもなんにも、少年は布きれ一つまとっていないのだから、この比喩《ひゆ》はあまり適当でなかった）「ここの丘の野兎は、そうやすやすとは捕まらないぜ」

「夜になると、おれ、四つ足で動物を追っかけるんだよ」

「というのは、犬を使うという意味だね」とヴァン・チールはきいてみた。

少年はごろりと寝返りをうち、仰向《あおむ》けになって、ひくい、無気味な笑い声をあげたが、それはクックツ笑いのように快よく、唸《うな》り声のように不快なものであった。

「どんな犬だって、おれと仲間になるのは、あまりゾッとしなかろうぜ、殊《こと》に夜ではね」

ヴァン・チールは、この眼色のおかしい、言葉つきのおかしい少年に、なにかひどく無気味なところがあるのに気づきはじめた。

「ぼくとしては、きみをこの森においとくわけにはいかないよ」と彼は厳然として云いわたした。

「お前さんの家の中においとくよりは、森の中においとく方がよさそうだがな」

ヴァン・チールのきちんと片付いた家の中に、この野性的な、素裸の動物がはいって来ることは、たしかに容易ならぬことであった。

「出て行かなきゃ、無理にでも追い出すぜ」

少年はヒラリと身をひるがえすなり、沼にとびこみ、あッというまに、ヴァン・チールが立っている堤の中腹に、濡れて光るからだを投げ出した。カワウソなら、こんな動作はとりたてて云うほどのことはない。だが、人間となると、ヴァン・チールには驚くに足るものであった。思わず後退《あとずさ》りすると、足がすべって、雑草の生えた、なめらかな堤に、ばったり四つんばいになり、すぐ下のあの獰猛な、黄色い眼と向いあった。ほとんど本能的に、彼は咽喉《のど》に手をあげかけた。少年がまた笑った。それはクツクツ笑いの方は、ほとんど影を消した唸り声だけの笑いであった。と思うと、また電光のような、驚くべきすばしこさで、雑草や羊歯《しだ》の繁《しげ》みをおしわけ、たちまち姿を消してしまった。

「なんて妙なやつだろう！」とヴァン・チールは立ち上りながら云った。そして、すぐに「きみのうちの森には野獣がいるね」と云ったカニンガムの言葉を思い出した。ゆっくりと歩いて帰りながら、ヴァン・チールは、この驚くべき野性人の存在に原因していそうな、この地方のいろいろな事件を、それからそれへと思いめぐらしはじめた。

ちかごろ、森の鳥や獣が、なにものかのために減っていたし、農家からは鶏がなくなるし、野兎は原因不明のまま数が少くなるし、丘から仔羊がそっくり持って行かれたという苦情が、彼の耳にも達していた。この野性の少年が、利口な密猟犬をつれて、このあたりの動物を、あさりまわるなんて、実際にあり得ることだろうか。夜は『四つ足』で動物を追っかけると云っていたが、すぐにまた、どんな犬でも『特に夜は』自分の近くに寄りたがらない、というような妙なことを云っていたではないか。まったく謎《なぞ》だ。そのうちに、この一二カ月の間におこなわれた、いろいろの掠奪《りゃくだつ》を思いめぐらしている時、ヴァン・チールの歩く足も瞑想《めいそう》も、突然ぴたりととまった。二カ月前、水車小屋から行方知れずになった子供——水車溝に落ちて流されたということになっているのだが、母親は、水とは反対の方向の家の丘側で悲鳴が聞えた、とはじめから云いはっていたものだった。もちろん、考えられもしないことだが、少年が二カ月前に食った肉のことなど、あんな気味のわるい話をしてくれなければよかった、と彼は思った。冗談にだって、あんな恐ろしい話はするものじゃない。

ヴァン・チールはいつもの習慣に似ず、この森の中での発見を、人に話す気になれなかった。教区評議員、治安判事という地位が、そうした怪しげな人物を自らの所有地内にかくまっているという事実によって、なんとなく傷つけられるような気がしたのだ。掠奪された仔羊や鶏の損害賠償のため、多額の勘定書をつきつけられるおそれさえなきにしもあらずだ。その晩の食卓についた時、彼はいつになく黙りこんでいた。

「唖《おし》にでもおなりかい」と伯母が云った。「これじゃ狼にでも出会ったんじゃないかと人は思うよ」

古い諺《ことわざ》を知らなかったヴァン・チールは、伯母の言葉を、いささかばかげていると思った。かりに所有地で狼に出あったとしたら、彼の舌はこの話題で、いつもより忙《せわ》しくまわるにちがいないのだ。

翌朝、朝食の食卓についても昨日の出来事についての不安が、まださっぱりとは消えていない気がして、ヴァン・チールは汽車で隣の町へ行き、カニンガムに会い、森の中の野獣などという言葉を使ったのは、実際には何を見たのか、聞いてみようと決心した。こう心にきめると、いつもの元気がいくぶんか戻って来て、彼は陽気な歌をくちずさみながら、習慣になっている煙草《たばこ》をとりに居間へ行った。部屋にはいったとたん、突然、歌は敬虔《けいけん》な祈りにかわった。寝椅子《ねいす》の上に、わざとのように、ゆったりした格好で、例の森の少年が、のびのびと腹ばいになっているのだ。昨日ほど濡れてはいないが、服装の点では特に変ったところはなかった。

「なんでまたここに来たのだ」とヴァン・チールは憤然として云った。

「森の中にいちゃいけないって、云ったじゃないか」と少年は落ちつきはらって云った。

「だが、ここに来ちゃいけないよ。もし伯母さんにでも見つかったらどうするんだ！」

そして、破局をすこしでも小さくしようと、ヴァン・チールは、この招かざる客を、できるだけ隠そうと、『モーニング・ポスト』を急いでかぶせた。そのとたん、伯母がはいって来た。

「これはね、かわいそうな子で、道に迷ったんですよ――それに記憶も失ってるんです。自分がなにものやら、どこから来たものやら、忘れちまってるんですよ」とヴァン・チールは絶体絶命になって説明し、ただでさえ野性的な性向があるのに、この上都合わるく率直さまで添えものにするのではなかろうかと、宿無し少年の顔をちらとうかがった。

伯母はひどく興味をおぼえたようだった。

「シャツに印《しるし》でもついてないかしら」

「そんなものも、みんな失《な》くしたらしいですね」とヴァン・チールは云って、『モーニング・ポスト』がずり落ちないように、しっかとつかんでいた。裸で宿無しの子というので、まるで迷い猫か棄《す》て犬のように、少年は伯母の同情をひいた。

「できるだけの世話をしてやらなくちゃ」と彼女は云って、またたく間に、給仕の少年をおいている牧師館に使いが走らされ、やがて、給仕の服や、シャツだの靴だのカラーだの必要な付属品を持って帰って来た。服を着せられ、ちゃんと身じまいを整えられると、ヴァン・チールの眼から見れば、無気味さはちっともなくなっていないが、伯母はなかなかの美少年だと思った。

「ほんとの身の上がわかるまで、なんか名前をつけてやらなくちゃね」と彼女は云った。「ゲブリエル＝アネストってのはどうだろう。ふさわしい、いい名だよ」

ヴァン・チールは同意したが、そんな立派な名をつけられた本人が、ふさわしい、いい子かどうか怪しいものだ、とひそかに思った。少年がはじめてはいって来た時、いつもは落ちついた、年とったスパニエルが、家の中からとび出し、慄《ふる》えたり吠《ほ》えたりしながら、果樹園の遠くの隅から離れようともせず、ふだんならヴァン・チールに劣らぬほどおしゃべりなカナリヤが、わずかにおびえたような声を出しているという事実によって、いっそう彼の不安はました。一刻の猶予《ゆうよ》もせず、カニンガムに相談しようと、彼はあらためて決心した。

馬車で停車場へ出発する時、伯母は、その日の午後、日曜学校の子供たちをお茶によぶので、そのもてなしの手伝いをするように、ゲブリエル＝アネストに話していた。

カニンガムは、最初のうち、率直に話をしたがらなかった。

「ぼくの母は、脳の病いで死んだのだよ」と彼は説明した。「だから、ぼくが、見たり、あるいは見たと思ったりする、途方もなく異常なことを、いつまでも考えているのは好まないことは、きみにもわかってもらえると思うよ」

「でも、実際には何を見たんだい」となおもヴァン・チールはたずねた。

「ぼくが見たと思ったものは、あまり突飛なことなので、どんなに健全な頭をもっている人間が、実際に起ったのだと保証しても、信じてはもらえないね。きみのうちにいた最後の日の夕方だ。ぼくは生垣に隠れるようにして、果樹園の門のそばに立って、うすれて行く落日の光を眺めていたのだ。突然、一人の素裸の少年がいるのに気がついた、近くの沼で泳いでいたのだろうと思ったがね、樹《き》のない丘の中腹に立って、やっぱり落日を眺めているので、すぐにモデルに雇いたいと思い、いかにも異教の神話の半人半羊神を彷《ほう》彿《ふつ》たらしめるので、すぐにモデルに雇いたいと思い、そのままだったら、声をかけただろうと思う。ところが、その瞬間、太陽が地平線から沈んで、いままでのオレンジ色やピンク色は地上の風景から消えてしまい、冷たい灰色の世界になった。そして、それと同時に、驚倒すべき事件が起ったのだ——その少年の姿も一緒に消えたのだよ」

「なんだって！　消えてなくなったのかい」とヴァン・チールは興奮してたずねた。

「いや。そこがこの話の無気味なところなのだ」と画家は答えた。「一瞬間前までは、その少年が立っていた、眼をさえぎるものもない丘の中腹に、大きな狼《おおかみ》が立っているのだ。牙《きば》をむき出し、残忍な、黄色い眼をした、真黒な狼が。きみの考えは、おそらく——」

しかし、ヴァン・チールは、考えるなどという無駄なことのために猶予はしていなかった。すでに彼は停車場に向って、いっさんに駆け出していたのだ。電報を打つことはあきらめた。「ゲブリエル＝アネストハオオカミナリ」では、どうにもこのいきさつを伝えるのに不適当だし、伯母は、彼が鍵《キイ》を与えるのを忘れた暗号電報とでも思うにちがいない。唯一《ただ》つの希望は、陽が落ちる前に、帰りつくことだった。汽車をおりて停車場でやとった馬車は、腹の立つほどのろく、道すがらの田舎道は、沈みゆく陽の光に、淡紅色に薄紫にそまっていた。彼が家についた時、伯母は食べ残したジャムやケーキを片づけていた。

「ゲブリエル＝アネストはどうしました？」と彼はほとんど金切声に近い声で云《い》った。

「トゥウプの子を送って行ったよ。あまりおそくなったんで、一人で帰すのが心もとなかったからね。なんてきれいな日の入りだろう？……」

しかし、ヴァン・チールは、茜色《あかねいろ》の西空を知らないわけではなかったが、そこでゆっくりその美しさを論じてはいなかった。ほとんど能力以上の速さで、彼はトゥウプの家へ通ずる狭い山路《やまみち》を走って行った。片側は水車用の流れのはやい川、片側はさえぎるものもない丘になっていた。色あせた真紅の太陽の縁が、まだ地平線上にのぞいていて、つぎの角をまわれば、目ざす不釣合な二人づれが見えるはずであった。と思うとたん、一切のものが、突然、色彩をうしない、灰色の光が、ぶるると震えて地上をおおった。つんざくような恐怖の悲鳴がきこえた。ヴァン・チールは走る足をとめた。

トゥウプの子供とゲブリエル＝アネストの姿は、その後二度と見られなかったが、ただ、ぬぎすてたゲブリエル＝アネストの服が道傍で発見されたので、子供が川に落ち、少年が裸になって、むなしくも子供を救おうと、後から川に飛びこんだのだろうと想像された。着物が発見された場所のすぐ近くで、子供の高い悲鳴が聞えたことを、ヴァン・チールと、その時近くにいた二三の労働者が証言した。ほかに十一人も子供のあったトゥウプのおかみさんは、子供を失ったことも、適当にあきらめていたが、ヴァン・チールの伯母は、行方知れずになった浮浪児のことを、心から悲しんだ。「ゲブリエル＝アネスト、勇敢にも人のために生命を捧《ささ》げし無名の少年」のため、教区の教会に記念碑がたてられたのは、彼女の発意によるものであった。

ヴァン・チールは伯母のいうことなら、たいてい承知するのだが、ゲブリエル＝アネストの記念碑のため寄付することだけは、きっぱりと断った。

話上手

The Story-Teller

暑い午後で、いきおい車室のなかは蒸暑く、次の駅のテンプルコームまでは、まだ一時間ちかくかかった。車室の占有者は一人の女の子と、それよりもっと小さい女の子と、一人の男の子とであった。子供たちの附添いの伯母が一隅の座席をしめ、この一団とは関係のない一人の独身者が、反対側の席の一隅を占めてはいたが、車室を断然占有していたのは子供たちであった。伯母も子供たちも、あくことを知らぬおしゃべりで、追えども去らぬ蠅《はえ》のうるささを思わせるものがあった。伯母の発言の大部分は「いけません」にはじまり、子供たちの発言のほとんどは、「なぜ」にはじまるようだった。独身男はなにも云《い》わなかった。

「いけません、シリル、いけません」と伯母は叫んだ。男の子が座席のクッションを叩《たた》いて、その度にもうもうたる埃《ほこり》の雲をあげているのだ。

「さあ、窓んところに来て、外を見てごらん」と伯母は云いそえた。

男の子は不承々々窓際《まどぎわ》へ行った。「なぜ、あの羊は原っぱから追い出されているの」

「もっと草のある、ほかの原っぱへ連れて行かれてるんでしょう」伯母はよわよわしく云った。

「だって、あの原っぱだって、草がたくさんあるよ。草しかないじゃないか。ね、伯母さん、あの原っぱには草がたくさんあるよ」

「たぶん、ほかの原っぱの草の方がいいんでしょう」と伯母は意味もなく答えた。

「なぜ、ほかの草の方がいいの」と、間髪をいれず、のっぴきならぬ質問が発せられた。

「ほら、あの牛をごらん」と伯母は叫んだ。いままでも、線路沿いの原には、いたるところに、牝牛《めうし》牡牛《おうし》がいたのだが、彼女はまるで珍しいものにでも注意をひくように云った。

「なぜ、ほかの原っぱの草の方がいいの」とシリルはなおも追撃の手をやめなかった。

独身男のしかめ面《つら》が、爆発一歩手前の苦りきった顔になった。無情な、同情のない男だ、と伯母は心の中できめた。彼女はほかの原っぱの草について、満足な答えに窮していたからである。

小さい方の女の子は、『マンダレイへの道で』を歌うことによって、みずから慰めていた。冒頭の一句しか知らなかったのだが、彼女はその限定された知識を、可能なかぎり完全に利用した。彼女はその一句を、夢みるような、しかし、断乎《だんこ》とした、そしてすこぶる高い声で、繰返し繰返し歌った。その文句を一気に二千回歌うことはできまい、と誰かが彼女と賭《かけ》をしたのではなかろうか、とそんな気が独身男にはした。それが誰であったにしろ、賭をしたものは、どうやら賭には敗《ま》けらしかった。

「さあ、こっちへいらっしゃい、お話をしてあげましょう」独身男が二度彼女の方を見やり、一度非常通知紐《ひも》の方を見やった時、伯母は云った。

子供たちは、興味なさそうに、伯母のいる一隅に集った。話し手として伯母の名声は、子供たちの評価によると、あきらかにあまり高いものではないらしかった。

聴衆から、大きな声の、意地わるい質問をあびせられ、しじゅう妨げられながら、低い、猫撫《ねこな》で声で、彼女は話をはじめた。それは善良で、そのため誰からも好かれ、結局、彼女の善良さに感じていた多くの人々の手によって、猛《たけ》り狂う牛から救われた一少女の、血も肉も躍らない、あわれなほど面白くない話であった。

「その女の子、いい子じゃなかったら、みんな助けてくれなかったのかしら」と大きい方の女の子がたずねた。これは独身男もききたかった疑問であった。

「そりゃ、そんなことはないよ」と伯母はしどろもどろで答えた。「でも、その女の子をそんなに好きじゃなかったら、みんなだって、そう急いで助けに行かなかったと思うよ」

「こんな面白くないお話って、聞いたことがないわ」と大きい方の女の子が、満々たる確信をもって云った。

「ぼくなんか、はじめの方だけで、あとは聞いてやしなかったよ、くだらねえんだもん」とシリルは云った。

小さい方の女の子は、この話について、実際にはなんの批評も下さなかったが、ずっと前から、例の得意の文句を、小さな声で歌いはじめていた。

「お話はあまりうまくいかなかったようですな」と独身男が、突然、その一隅から声をかけた。

この思わざる攻撃に、伯母は逆毛をたてて、とっさの防禦《ぼうぎょ》態勢をとった。

「子供たちが理解もできるし面白がりもする話をするのは、むずかしいものですよ」と彼女は固苦しく云った。

「そうは思いませんな」と独身男は云った。

「じゃ、あなた、この子たちにお話をしてみて下さいよ」

「お話してよ」と大きい方の女の子がねだった。

「むかしあるところに」と独身男は話しはじめた。「バーサという、とてもいい女の子がありました」

一時もえあがった子供たちの興味は、たちまちはかなく消えかかった。お話というものは、話し手はかわっても、うんざりするほど似たものらしいのだ。

「その女の子は、いいつけはよく守るし、いつも正直で、自分の着物はきちんときれいにしておくし、ミルク・プディングだって、ジャム・タルトのように喜んで食べるし、よく勉強はするし、お行儀だって立派なものでした」

「その子、きれい？」と大きい方の女の子がたずねた。

「あなたほどきれいじゃない」と独身男は云った。「でも、とんでもないよい子だったのです」

反応があらわれたが、それはこの話には都合のいいものであった。善良さを形容する「とんでもない」という言葉には、好印象をあたえる珍しさがあったのだ。それは、子供の生活を語る伯母の話には欠けている、真実の響をもたらしたらしかった。

「とてもいい子だったので」と独身男はつづけた。「その御ほうびにいくつかのメダルをもらって、いつもそれを着物にピンでとめて下げていました。一つのメダルはいいつけをよく守ったため、一つはきちんと約束を守ったため、一つはよい行いをしたためにもらったものでした。大きな金《かね》のメダルで、歩くと触れあって、チリンチリンと鳴りました。その女の子が住んでいる町で三つもメダルを持っている子はなかったので、女の子がとってもよい子だということは、誰にもすぐわかりました」

「とんでもないよい子だね」とシリルが云いなおした。

「誰も彼も、その子がよい子だと噂《うわ》さするので、とうとうそのことが、その国の王子さまのお耳にまで聞え、そんなによい子なら、町のすぐ外にある王子さまのお庭に、一週間に一度だけはいることを許してやろうというお言葉がありました。美しいお庭で、いままでに入れていただいた子供は、一人もなかったのです。だから、はいるお許しが出たというのは、バーサにとってはたいへんな名誉だったのでした」

「そのお庭には羊はいるの？」とシリルがたずねた。

「いや、羊はいないよ」

「なぜ羊がいないの」その答えを聞くと、すぐに四の五の云わさぬ質問がおこった。

伯母の顔に思わず微笑が浮んだ。それはほとんどニヤニヤ笑いといってもいいほどのものだった。

「お庭には羊はいないんだよ」と独身男は云った。「それはね、王子さまのお母さまが王子さまは羊に殺されるか、時計が落ちて来て死ぬかするだろうっていう夢を見たことがあるからだよ。だから、王子さまはお庭に羊を飼っておかないし、宮殿には時計がおいてないのさ」

伯母は感嘆の溜息《ためいき》をおさえた。

「王子さまは羊か時計のために死んじゃったの？」とシリルがたずねた。

「まだ生きてるんだ。だから、その夢がほんとかどうか、わからないんだよ」と独身男は平気な顔で云った。「とにかく、お庭には羊はいないが、小さな豚がたくさんいて、お庭じゅうを走りまわっているんだ」

「どんな色の豚？」

「頭だけ白の黒いやつ、黒い斑《まだら》のある白いやつ、からだじゅう真黒なやつ、白い斑のある灰色のやつ、それから真白なやつもいるよ」

話し手は一息ついて、このお庭の点景が、子供たちの想像の中に、すっかりとけこむのを待ってからつづけた。

「バーサはお庭に花が一本もないのを見て、すこし悲しく思いました。ご親切な王子さまの花なんか摘まないって、バーサは眼に涙をうかべて、伯母さんに約束しましたし、またほんとにその約束をまもるつもりだったのですから、もちろん、摘もうにも花一本ないのを見て、ばかばかしい気がしました」

「なぜ花がないの」

「豚がみんな食っちまったからさ」と独身男は即座に答えた。「庭師が王子さまに、豚と花と両方育てるわけにはいかないって云ったので、王子さまは豚を飼っといて、花の方はやめることにきめたんだよ」

王子の決意のすばらしさに賛成する呟《つぶや》きが起った。たいていの人なら、あべこべにするにきまっているのだ。

「お庭には、まだほかにもたくさん面白いものがありました。金色や青や緑のお魚がおよいでいるお池があるし、云われるとすぐ利口なことを答える、きれいなオウムがとまっている樹《き》があるし、その頃はやった歌をなんでも歌う蜂雀《はちすずめ》などもいました。バーサはあちらこちら歩きまわり、楽しく時をすごし、心に思いました。『もしわたしがとてもいい子でなかったら、こんなきれいなお庭に入れていただくこともなかっただろうし、このお庭のいろんなものに囲まれて、楽しい思いをすることもなかったろう』って。そして歩くたびに三つのメダルが触れあって、チリンチリンと音をたてるので、そのたびに自分がほんとによい子だったということを思い出しました。その時、大きな狼《おおかみ》がお庭に忍びこんで来ました。晩の御飯に、肥《ふと》った豚の一ぴきでも捕まらないかなと、ようすをうかがいに来たのです」

「どんな色の狼？」と子供たちは、たちまち興味をそそられてたずねた。

「からだじゅう泥色で、舌は真黒、うす灰色の眼が、云うに云われぬほど、おそろしそうにギラギラ光ってるんだよ。お庭の中で、まっさきに狼の眼についたのは、バーサでした。前掛が真白に洗いたてだったので、遠いところからでも見えたのです。バーサも狼の姿をみつけました。バーサの方に忍びよって来るのです。バーサは王子さまのお庭に入れてもらわなければよかったのに、と思いはじめました。そして、一生懸命に駆け出しましたが、狼は大きくピョンピョンととんで追っかけて来るのです。バーサはやっとのことでテンニンカの藪《やぶ》までたどりつき、その中の深い繁《しげ》みに身をかくしました。狼は真黒な舌をダラリと垂らし、うす灰色の眼を怒りにギラギラさせながら、枝の間をクンクン嗅《か》ぎまわります。バーサは生きた心地もなく、『もしわたしがとてもよい子でなかったら、今だって、町で無事にいられただろうに』と心に思いました。でも、テンニンカの匂《にお》いが強いので、狼はバーサの隠れ場所を嗅ぎ出すことができず、また、藪がとても深く、いくら探してもバーサの姿を見つけ出せそうもなかったので、狼は、こんなところにぐずぐずしているよりは、行って小豚でもつかまえた方がましじゃなかろうかと思いました。狼がそばまで来て、クンクン嗅ぎまわるので、バーサはブルブル震えました。そして、震えるたびに、よい行いと、きちんと約束を守ったメダルが、いいつけをよく守ったメダルにぶつかって、チリンチリンと鳴りました。狼がもう立ち去ろうとした時、メダルの鳴る音が聞えたので、立止って耳をすましました。ほんのすぐそばの藪の中で、またチリンチリンという音が聞えました。狼はうす灰色の眼を、おそろしそうに、そしてまた勝ちほこったように輝やかせて、その藪の中にとびこみ、バーサをひきずり出して、骨まで食ってしまいました。残ったのは、靴と、着物のきれはしと、よい子の御《ご》褒美《ほうび》の三つのメダルだけでしたとさ」

「小さな豚も殺されたの？」

「いや、みんな逃げてしまったよ」

「はじめは面白くなかったけど」と小さい方の女の子が云った。「おしまいはすてきだったわ」

「こんな面白いお話って、聞いたことがないわ」と大きい方の女の子は、満々たる確信をもって云った。

「今まで聞いたお話の中で、面白かったのはこのお話だけだね」とシリルは云った。

伯母は不同意をとなえた。

「小さな子に話してきかせるのに、こんな不適当な話ってありませんよ。あなたのお蔭《かげ》で、何年もの注意ぶかい教育の力がめちゃくちゃになりましたわ」

「いずれにしろ」と独身男は、持物をかきあつめて、降りる支度をしながら云った。

「ぼくはこの子供たちを、十分間だけおとなしくしておきましたからね。こいつはあなたより、ぼくの方が上手でしたよ」

「かわいそうに！」と彼はテンプルコーム駅のプラットフォームを歩きながら思った。「あの伯母さんは、これから半年やそこいらは、あの子供たちから、人の前だろうとなんだろうと、不適当な話をしてくれと、さぞねだられることだろうな！」

七番目の若鶏《わかどり》

The Seventh Pullet

「ぼくがこぼしているのは、毎日の仕事のことじゃないんだ」とブレンキンスロプがうらめしそうに云《い》った。「勤め以外の生活の、退屈な単調さなんだよ。面白いこともなければ、変ったことも常識はずれのこともない。なにか面白いことでもと思って、ちょっとしたことをやってみても、ほかの連中は一向面白いと思わないらしい。たとえば、ぼくのうちの庭のことだがね」

「二ポンド以上もの重さのジャガイモのことだろう」と友人のゴウワースが云った。「もう君には話したっけな。今朝、汽車でほかのものには話したがね。きみに話したかどうか、忘れてたよ」

「正確に云えば、きみの話では、そのジャガイモは二ポンド以下だったんだがね、並はずれの野菜とか、釣上げた魚とかいうものは、死んでも生きていて、その後も大きくなるという事実を勘定に入れといたのさ」

「きみもほかの連中と同じだね」とブレンキンスロプは悲しそうに云った。「からかうばっかりだ」

「罪はジャガイモにあるのであって、ぼくたちにあるんじゃないよ」とゴウワースは云った。「一向に面白くないから、ぼくたちも一向に面白いと思わないんだ。きみが毎日汽車で顔をあわせる連中も、きみと同じさ。みんな平凡な生活をしていて、自分たちにとってもあまり面白くないんだから、他人の生活の平凡な事件なんかに、情熱をもつわけはなかろうじゃないか。きみ自身か家族のものにでも起った、なにかたまげるような、劇的な、ピリッとするようなことを話してみたまえ、いっぺんであの連中、夢中になるから。自分の自慢話みたいに、知っている奴《やつ》をつかまえては、きみのことを話すよ。『ぼくのよく知ってる男でね、ブレンキンスロプという、同じ方角に住んでる奴なんだが、夕飯に食おうと思って持って帰ったエビに、指二本はさみきられてね。医者の話じゃ、腕一本切りとらなくちゃならないかもしれないんだとさ』ってぐあいにね。これなら、なかなかしゃれた世間話じゃないか。ところが、テニス・クラブにはいって行きながら『ぼくの友だちに、二ポンド四分の一のジャガイモをつくった男がいるぜ』と云ったとしてみたまえ」

「だがね、そんなこと云ったってしようがないよ」とブレンキンスロプはいらだたしそうに云った。「たった今も、変ったことは、ぼくには起らないって云ったところじゃないか」

「なにか創作するんだね」とゴウワースは云った。予備校時代に聖書の知識で優等賞をとって以来というもの、仲間のものよりすこしぐらい傍若無人であるのは、天下御免だと彼は思っているのだ。子供の時に、旧約聖書中に現われた木の名十七種類をならべることのできたものなら、たいていのことは許されてもよかろうというのである。

「どんなことだい」とブレンキンスロプはすこし嚙《か》みつくように云った。

「昨日の朝、一ぴきの蛇がきみのうちの鶏小舎《ごや》にはいりこんで、七羽いる若鶏のうち六羽殺してしまったんだ。はじめに、眼で催眠術をかけておいて、鶏がぼんやりしているところを嚙みつくんだね。ところが、七番目の鶏というのがフランス種で、両方の眼には羽がたれかかっている奴さ、お蔭《かげ》で催眠術の力をまぬがれて、いきなり、蛇とおぼしき奴にとびかかって、くちばしでつっき裂いてしまったのさ」

「ありがとう」とブレンキンスロプはぎこちなく云った。「なかなかうまい創作だ。もしそんなことが、ほんとにぼくの鶏小舎で持上ったのだったら、ぼくだって大威張りでみんなに話すだろう。だが、ぼくは、たといそれが平凡な事実であろうと、事実を重んずるんだ」とはいうものの、彼は七番目の鶏の話には未練たっぷりであった。汽車の中で、同乗の仲間の熱心な興味の中心となって、自分がその話をしている姿が、眼にうかんだ。われともなしに、いろんな細部や、もっと話を面白くする個所などを、彼は心に考えはじめていた。

翌朝、汽車に乗りこんで席についた時、彼のその話に対する未練は、いまだに支配的であった。向い側の席についたのはスティヴナムだった。この男は伯父が国会議員選挙で投票中に死んだというので、一般から特に重要人物に列せられていた。この事件は三年前に起ったのだが、国内及び海外のあらゆる政治問題について、スティヴナムはいまだに意見を徴されていた。

「やあ、例のばかでかい茸《きのこ》だったたっけ、あいつはどうなったい？」ブレンキンスロプが同乗の仲間から集める注目は、これだけでしかなかった。

ブレンキンスロプがあまり好意を寄せていないダックビー青年は、家庭内の不幸の物語によって、たちまちにして一般の注意を独占した。

「昨夜、雛鳩《ひなばと》を四羽も、大きな鼠《ねずみ》にやられましてね、ええ、とんでもないでかい奴だったにちがいありませんよ。屋根裏部屋にあけた穴を見れば、その大きさはわかりますよ」

この地方では、普通の大きさの鼠は、いたずらをしないらしかった。いたずらをする鼠の大きさの法外なことは、まさに法外であった。

「ひどい目にあうもんですよ」とダックビーは、仲間の注意と関心とを集め得たことを意識しながらつづけた。「一度に四羽も雛をやられるなんてね。こんな思いもかけない悪運なんて、ほかにはちょいと類がないでしょうよ」

「ぼくんちじゃ、昨日の午後、七羽いた若鶏のうち、六羽、蛇にやられたよ」とブレンキンスロプは、自分でも自分のものとは思えぬような声で云った。

「蛇に？」という言葉が、興奮した合唱となって洩《も》らされた。

「蛇のやつ、おそろしい、ギラギラする眼で、鶏につぎからつぎへと催眠術をかけておいて、鶏がぼんやりと立ちすくんでいるところを、やっつけてしまったんだよ。隣に寝たっきりの病人がいてね、助けを呼ぶことはできなかったが、寝室の窓から、すっかり見ていたんだとさ」

「あきれたね！」と合唱隊が、いろんな変奏曲をまじえて口をはさんだ。

「面白いのは七番目の鶏だよ、こいつだけは殺されなかったんだがね」とブレンキンスロプは、ゆっくりと煙草《たばこ》に火をつけながら云った。臆病《おくびょう》さはもう影をひそめた。そして、いちど踏みきる勇気さえあれば、堕落とはいかに安全で容易なものであるかを、悟りはじめていた。「やられた六羽はミノルカだったんだ。七番目はウーダンでね、羽が眼の上までたれさがっているんだ。どだい蛇の姿が見えないんだから、もちろん、ほかの鶏みたいに催眠術にはかからないさ。なにかクネクネしているものが見えたから、とびかかって、つつき殺しちまったんだよ」

「ほほう！」と合唱隊は叫んだ。

それからの数日間に、ブレンキンスロプは、世間の尊敬をかち得た場合、自己に対する尊敬を失うことが、いかに屁《へ》でもないかということを発見した。彼の話は、ある養鶏新聞に掲載され、そこからまた、世間話の種として、日刊新聞に転載された。北スコットランドのある婦人は、手紙で、テンと盲《めくら》のライチョウとの間に起ったのを実際に見たという、同じような話を、くわしく報《しら》せて来た。方便と名づけられる場合、嘘《うそ》もそれほど非難すべきことではないような気がするものである。

しばらくの間、七番目の若鶏物語の脚色者は、不思議な事件にある役割を演じた、重要な人物という、今までとはうって変った立場を満喫した。ところが、そのうちに、スミス＝パドンという男が、突然、全盛をうたわれはじめたので、ブレンキンスロプはまたもや冷たい、灰色の後景へおしこめられてしまった。スミス・パドンというのは、やはり毎日の汽車通勤仲間なのだが、その小さな娘が、あるミュージカル・コメディの女優の自動車に突きたおされ、も少しのところで大怪我《おおけが》をするという事件が起ったのだった。その時、女優はその自動車には乗っていなかったのだが、ゾト・ドブリーンの写真新聞には、エドマンド・スミス＝パドン氏の愛娘《まなむすめ》メイジーの安否を見舞う彼女の写真が、たくさん掲載されたものだった。この新たな人間的な興味に夢中になっていたので、通勤仲間は、ブレンキンスロプが鶏舎に蛇とハヤブサを近寄せない工夫を説明しようとした時も、その態度はほとんど無礼に近いものだった。

このことを内々ゴウワースに打明けると、彼は今度もおなじ忠告を与えた。

「なにか創作するんだね」

「うん、だが、なにがいいだろう」

すぐに賛成しながらも、疑わしそうにしていたのは、道徳的見地の重要なる変革を示すものであった。

ブレンキンスロプが汽車の中で、いつもの通勤仲間に、ブレンキンスロプ家物語の一章を話しだしたのは、それから数日後のことであった。

「ぼくの伯母に、妙な事件が起ってね、パリに住んでる伯母なんだけど」と彼は話しはじめた。彼には何人かの伯母はあったが、地理的に云って、みんなロンドン及びその近郊にちらばっていたのだ。

ていたんだよ」

「先日のある午後のことだよ、ルーマニア公使館の昼餐会《ちゅうさんかい》の後、ボアでベンチに掛けていたんだよ」

国際社交的「雰囲気」を導入することによって、物語にいかに多くの迫真性を加え得たにしても、その瞬間から、その物語は一般的な事件の記録としては、受入れられなくなるものである。この話がそれであることを、ゴウワースはよく話しておいたのだが、この新弟子の伝統的な情熱は、思慮分別を凌駕《りょうが》してしまったのだ。

「多分、シャンパンのせいだろうが、伯母は少しばかり睡気《ねむけ》をもよおして来たんだぞうだ、日中、シャンパンを飲む習慣がないもんだからね」

低い感歎《かんたん》の囁声《ささやきごえ》が、一座をわたった。実をいうと、ブレンキンスロプの伯母たちは、シャンパンをもっぱらクリスマスと新年のお添物と思っているのだから、日中どころか、年中シャンパンを飲む習慣はなかったのである。

「やがて、みたところ堂々たる紳士が、伯母の前を通りかかって、葉巻に火をつけようと、一瞬、足をとめた。その瞬間、若い男が紳士の背後から忍びよって、仕込杖《づえ》の刀をひきぬくなり、二度三度、ブスリブスリと突刺したんだ。『悪党』と青年は叫んだ。『おれが誰だか知るまい。アンリ・ルテュウルというものだ』紳士は服にとびちった血を拭《ふ》いてから、その刺客に向って云ったそうだ。『それで、いつから闇討《やみう》ちが紹介状の代りになるようになったのだ』そう云うと、紳士はつけかけた葉巻に火をつけて、そのまま歩いて行ったそうだ。伯母は声をあげて警官を呼ぼうと思ったが、事件の主役がなんでもなさそうにしているのだから、差出がましいことをしては、かえって失礼だと思ったそうだ。もちろん、伯母がこの事件全体を、あたたかくて、睡気を誘うその午後と、公使館のシャンパンのせいにしたことは、あらためてぼくが云う必要もなかろう。ところで、これから驚くべきことがおっぱじまるんだよ。二週間後、ある銀行の支配人が、ところも同じボアのあの場所で、やはり仕込杖で刺し殺されたんだ。加害者は、以前その銀行で働いていて、慢性飲酒癖のため、その支配人から馘《くび》きられた日傭女《ひやといおんな》の伜《せがれ》だったのだ。そして、名前はアンリ・ルテュウルというのだよ」

その時以来、ブレンキンスロプは暗黙のうちに、一党のほら男爵《バロン・マンチヤウズン》と目されるようになった。彼らの軽信する力を試すように、毎日毎日、自分を一座の花形とするあらゆる努力が惜しまれなかった。そしてブレンキンスロプは、確実な、寛大な聴衆を得たと思いこみ、驚異事件の需要をみたすことに、ますます奮闘し、また巧みにもなった。カワウソを馴《な》らして、泳ぐために庭に水槽をつくってやったら、給水がおくれるとすぐじれて泣くという、ダックビーの諷刺《ふうし》的な話は、ブレンキンスロプの狂気じみてくる力作の不当な模倣として、辛うじて認められたにすぎなかった。ところが、やがてある日、復讐《ふくしゅう》の女神が訪れた。

ある日、ブレンキンスロプが勤めから帰ってみると、細君がトランプをならべ、まるで夢中になって考えこんでいた。

「またいつもの独り遊びかい」と彼はなにげなくたずねた。

「そうじゃないの。これは『死神の首』っていう独り遊びで、とってもむずかしいのよ。あたし、一度もできたことないんだけど、できたらこわいだろうって、なんだかそんな気がするの。お母さんは一度だけできたのよ。やっぱり、できるのをこわがってたんだけど。お母さんの大伯母さんが一度やって、できたと思ったら、すぐにその興奮で死んだんですって。だから、お母さんも、もしできたら自分も死ぬだろうって、そんな気がいつもしていたのよ。そして、できた晩に死んじまったわ。その時病気だったのは確かなんだけど、不思議な偶然の一致だわ」

「こわいのなら、やらなきゃいいじゃないか」とブレンキンスロプは部屋を出ながら、実際的な忠告を残して行った。まもなく、細君が声をかけた。

「ジョン、びっくりしたわ、もすこしでできそうだったのよ。ダイヤの五だけのお蔭で、どうにも動きがとれなくなったの。ほんとにできるかと思ったわ」

「だって、できるじゃないか」と部屋へもどって来たブレンキンスロプが云った。

「クラブの八を九の空いてるところへ動かせば、ダイヤの五が六のところへ持って行けるよ」

細君はふるえる指で、いわれた通りいそいで動かし、残りのトランプをそれぞれの組にならべた。そして、母親と大伯母の例にならった。

ブレンキンスロプは心から妻を愛してはいたのだが、妻を失った悲しみのさなかにありながら、ある支配的な考えが頭をもたげて来た。センセーショナルで、しかも現実のものが、ついに自分の生活の中にもちあがったのだ。これはもはや灰色の、色彩もない記録ではないのだ。彼の家庭的悲劇を適切に表現する見出しの文句が、彼の頭の中で、たえず形づくられていた。「代々の予感、現実となる」「死神の首。三代にわたってその不吉なる名称の正しきことを証明せるトランプ遊び」彼は、主筆が友人だったので、『エセックス・ヴェデト』のために、この宿命的な事件を発端から結末まで書き、また、ある三文新聞に出してもらうために、要約した記事を書いて、ほかの友人に送った。ところが、作り話の名人という彼の評判が、どちらの新聞社でも、致命的な障礙《しょうがい》になって、彼の野心はとげられなかった。「女房が死んだというのに、ほら男爵《だんしゃく》の真似《まね》ごとをするなんて怪《け》しからん」というのが友だち仲間の意見で、地方新聞の消息欄にのせられた「われらが尊敬する隣人、ジョン・ブレンキンスロプ氏令閨《れいけい》の心臓麻痺《まひ》による急死」に対する短い哀悼の記事が、津々浦々まで評判になるという彼の幻想のみじめな結果であった。

ブレンキンスロプは以前の通勤仲間の交際から身を退《ひ》き、みんなより早い汽車で町へ通うようになった。彼はときどき、自分の優秀なカナリヤの囀《さえず》りのうまさとか、自分でつくったいちばん大きな砂糖大根の大きさなどについて、ゆきずりの知人の共感と注意を得ようとしている。そして、かつては七番目の若鶏の持主として、人の噂《うわさ》にものぼり、指さされもした人物としての自分を、忘れてしまったようである。

運命

The Hounds of Fate

蒸暑い、曇った秋の午後の、あせゆく光の中を、マーチン・ストウナーは、どこへ行くともはっきり自分でもわからぬ、泥んこの小路や、轍《わだち》の跡のふかい馬車道を、とぼとぼと歩いていた。どこか行く手には海があるような気がし、彼の足はつねに海へ海へと向っているような気がした。疲れた足をひきずって、なにゆえ海へ行こうとするのか、追いつめられた鹿《しか》が、結局は崖《がけ》の方へ行くと同じ本能でも持っていないかぎり、彼にも説明できなかった。彼の場合、運命の犬が、仮借なき執拗《しつよう》さで、たしかに彼を追いつめているのだった。飢え、疲労、絶望などのため、脳はしびれてしまい、いかなる隠れた衝動が、自分を前へ前へと進めているのか、考えてみるだけの力も、呼び起すことが出来なかった。ストウナーはあらゆることをしつくしたとしか思えない、不幸な人間の一人であった。もって生れた怠惰と浅慮がつねに原因となって、だいそれたほどでもない成功の機会さえ失い、今ではぎりぎりのところまで来て、ほかにやってみることもない有様であった。絶望も眠っている精力の蓄えを呼びさまさなかった。逆に、運命の危機に際して、精神的麻痺《まひ》が起るのだった。服といえば着たきり雀《すずめ》、ポケットには半ペニー、頼るべき友人も知己もなく、今夜の寝床や明日の食べ物の当てもなく、マーチン・ストウナーは、濡《ぬ》れた生垣の間や、滴《しずく》のたれる樹《き》の下を、どこか行く手には海があると、意識下で考えているだけで、ほとんど虚《うつ》ろな心を抱きながら、とぼとぼと歩いているのだった。も一つ、ときおり顔を出す意識があった――みじめなほど腹がへっていることであった。まもなく、広い、そして、あまり手入れの届いていない庭へと通じている、開いたままの門の前で、彼の足がとまった。人の気配もなく、庭の奥にある百姓家は冷たくて、とっつきにくい感じであった。しかし、雨がしとしと降り出したので、ここでしばらく雨宿りさせてもらい、あわよくば、最後に残った銭で、ミルクのいっぱいも売ってもらえやしないかと、ストウナーは考えた。そこで、疲れきった彼は、そろそろと庭へはいり、狭い石敷きの路《みち》を、家の裏口へとまわった。戸を叩《たた》きもしないうちに、扉が開いて、腰の曲った、しなびたような老人が、さながら迎え入れるように、入口のそばに立った。

「雨宿りをさしてもらいたいのだが」とストウナーは云《い》いかけたが、老人がすぐにそれを遮った。

「どうぞ、トムさま、おめえさまがそのうちに帰って来らっしゃることは、ちゃんと知ってましたよ」

ストウナーは家の中へよろめき入り、わけがわからず、相手を見つめた。

「食事の支度をします間、まあ坐《すわ》っていて下せえまし」と老人は、心をこめて、声をふるわせながら云った。疲れのため立っていられず、ストウナーはすすめられた肱掛《ひじかけ》椅子《いす》に、ぐったりと腰をおろした。そして、一分もたたないうちに、彼はそばのテーブルに置かれた冷肉やチーズやパンを貪《むさぼ》るように食っていた。

「四年前とちっとも変っちゃおらっしゃらねえ」と老人は、ストウナーには遠い、脈絡のない夢の中のもののように聞える声で云った。「だけんど、わしらは変りましたよ。この家には、おめえさまが出て行かっしゃった時にいたものは誰もおりましねえ。わしと年とった伯母さまだけでごぜえますよ。おめえさまが帰って来らっしゃったことを、ちょっと話して来ますべえ。会いはなさるめえが、おめえさまがこの家におらっしゃることは、お許しになりますよ。おめえさまが帰って来らっしゃったら、この家に住むことは構わねえ、だけんど、会うのも話すのもいやだって、いつも云っとらっしゃっただからね」

老人はストウナーの前にビールを一杯おくと、ながい廊下をびっこひきながら立去った。しとしとと降っていた雨が、土砂降りにかわり、ドアや窓にはげしく吹きつけた。この篠《しの》つくような雨の中で、あたりに迫る夜の闇《やみ》につつまれた海辺は、どんな気持のものだろうと、ストウナーは考えて身ぶるいした。彼は食べ物とビールを平らげ、放心したように腰をかけたまま、不思議な宿主が戻って来るのを待った。部屋の隅の掛時計の針がすすむにつれて、彼の心に、新しい希望のかげがさし、それが次第に成長した。それは食物としばらくの休息だけだった今までの渇望《かつぼう》が、見たところ親切そうなこの家で、一夜の雨露をしのぎたいという望みまで拡大しただけのことであった。

老僕が戻って来る足音が廊下に聞えた。

「やっぱり伯母さまは会わねえと云わっしゃるがね、トムさま、この家にいるのは構わねえってことでごぜえますよ。伯母さまが墓の中へはいらっしゃれば、ここはおめえさまのもんになるんだから、当りめえの話でねえかね。おめえさまのお部屋に火を入れておきましたよ、トムさま、それから、女中がベッドに新しい敷布をのべましたよ。お部屋はちっとも変っちゃおりましねえ。さぞお疲《くたび》れで、もうお休みになりたいでござんしょう」

ものも云わず、マーチン・ストウナーは大儀そうに立上り、この救いの神の後から廊下を通り、ぎしぎし鳴る短い階段をあがり、また廊下を通り、気持よく燃えている煖炉《だんろ》の火に照らし出された、大きな部屋にはいった。家具は少ししかなかったが、地味な、旧式な、しかし、いい品物ばかりであった。装飾のしるしとしては、ガラスのケースに入れた剝製《はくせい》のリスと、四年前の壁掛けカレンダーがあるばかりだった。しかし、ストウナーの眼にはベッドよりほかはなにも映らず、服をぬぐのも待ちきれず、疲労したもののみが知る喜びで、やわらかいベッドへ転がりこんだ。運命の犬も、しばしの間、出鼻をくじかれたらしかった。

朝の冷い光の中で、自分の現在の立場を、すこしずつ理解しだすにつれて、ストウナーは陰気な笑いを洩《も》らした。あるいは、行方不明になった、も一人の碌《ろく》でなしに、彼が似ているお蔭《かげ》で、朝食のひとつもとり、押しつけられたこの天一坊の正体を見あらわされないうちに、無事逃げ出すことができるかもしれない。階下におりてみると、例の腰の曲った老人が『トムさま』の朝食として、ベーコン・エッグの支度をしていたし、いかつい顔をした年配の女中が、ティ・ポットを持ってはいって来て、お茶をついでくれた。彼が食卓につくと、小さなスパニエルが来て、なれなれしく近寄って来た。

「こりゃバウカーの仔犬《こいぬ》でごぜえますよ」と老人は云った。老人のことを、いかつい顔をした女中はジョージと呼んでいた。「バウカーはおめえさまが一番好きでごぜえましてな、おめえさまがオーストレリイに行かっしゃってからは、まるで変っちまいましたよ。一年ばかり前に死にましてな。こりゃあいつの子でごぜえますよ」

ストウナーは母犬の死を哀《かな》しむ気にはなれなかった。その犬が生きていたら、彼の身許《みもと》証明の証人として、いささか都合のわるいことになったであろう。

「遠乗りにでかけなさるかね、トムさま」と老人は、また思いがけないことを云いはじめた。「乗心地のいい、葦毛《あしげ》の、すばらしい小馬がいますよ。ビディもまだまだ乗れますが、年とってちっとばかり老いぼれましてな。葦毛の小馬の方に鞍《くら》をおいて、戸口にまわさせますよ」

「だって、馬乗り用品一式、なんにもないよ」とストウナーはどもりながら云ったが、自分の着古した一着きりの服を見て、ほとんど笑い出すところであった。

「トムさま」と老人は、まるで気をわるくしたように、真剣な調子で云った。「おめえさまのものは、ちゃんともとのままにしてごぜえますよ。煖炉でちょっと乾かせば、すぐに使えますだ。ときどき馬に乗ったり、鳥射《とりう》ちに行ったりするのは、気晴しにいいものでしてな。ここいらの衆は、おめえさまに白い眼を向けることでごぜえましょう。みんな忘れもしなければ、許しもいたしましねえ。誰もおめえさまには寄りつきましねえから、せいぜい馬や犬を相手に気晴しをなさるがよろしゅうごぜえます。馬や犬だって、いいお相手になれますよ」

ジョージ老人は指図をするために、びっこをひきながら立去った。そこでストウナーは、いよいよもって夢を見ているような気持で、『トムさま』の衣装戸棚をしらべるために二階へあがった。乗馬は大好きだったし、トムの昔の仲間が、寄りつかないらしいので、すぐに化けの皮をはがれるうれいも、いくらか少なかった。どうやら身に合いそうな乗馬ズボンをはきながら、この辺いったいの人々を敵にまわすとは、本物のトムなる人物が、いったいどんな悪いことをしたのだろう、と彼は漠然と考えた。しめった土地を蹴《け》る、小刻みな、はりきった蹄《ひづめ》の音に、彼の瞑想《めいそう》はたちきられた。葦毛の小馬は、裏口にまわされていた。

「馬に乗った乞食《こじき》のたとえか」とストウナーは、昨日はみすぼらしい浮浪人として、とぼとぼ歩いていた泥んこ道に、馬を走らせながら思った。がすぐに、そんな反省は面倒くさげに払いのけて、平坦《へいたん》な道の芝草のはえた端を駆ける快よさに、身をゆだねた。とある門の前で、二台の馬車が畑に入ろうとしていたので、道をゆずるために、彼は馬をとめた。馬車に乗っていた若者たちは、その間に、彼をゆっくり見る暇があった。そして、通りすぎる時、興奮した声で、「トム・プライクだよ！　おれにはすぐわかったよ。また、あらわれたんだな」と云うのが聞えた。

よぼよぼの老人なら、鼻の先で見てもだまされたのだが、してみると、すこし離れて見ると、若いものの眼にも見まちがうほど、よく似ているに相違なかった。馬を走らせている間に、行方不明のトムから、彼が譲りうけることになった過去の罪を、この地方の人々は忘れてもいなければ、許してもいないというジョージの言葉を確認する証拠に、彼はあきるほど出会った。人間に会えば、かならずしかめ顔や、ひそひそ話や、袖《そで》のひきあいが彼を迎えた。平然とそばを走ってついて来る『バウカーの仔犬』だけが、敵意にみちた世界で、ただ一つの友情のしるしのように思われた。

裏口で馬をおりる時、二階の窓のカーテンのかげからのぞいている瘠《や》せた老婦人の姿が、ちらと見えた。彼のかりそめの伯母にちがいなかった。

支度のできている、たっぷりした昼食をたべながら、ストウナーは自分の異常な立場の将来を、とっくりと考えてみることができた。本物のトムが、四年間もの消息不明のあげく、ひょっくり姿をあらわすかもしれないし、またいつなんどき手紙をよこすかもしれない。また、この農場の相続者として、にせのトムが書類に署名を求められるかもしれないし、そうなると、ことはいよいよ面倒になる。あるいは、伯母の超然とした態度にならおうとしない、親戚《しんせき》のものが来るかもしれない。一方から考えると、それに代るべきものといえば、はてしなき空と、海へ通ずる泥濘《でいねい》の路しかない。いずれにしろ、この農家は、窮乏からの一時の避難所を与えてくれたのだ。百姓仕事は、彼がこれまでに「手をそめた」多くの仕事の一つであったから、彼には受けるべき資格のない厚遇の返礼として、相当の仕事はできるのだ。

「夕食の豚肉は、冷たいままでよろしゅうござえますかね、それとも温めますかね」と例のいかつい顔をした女中が、テーブルを片づけながらたずねた。

「温めて、玉葱《たまねぎ》をそえてくれ」とストウナーは云った。彼が即座に決定するのは、こんな時だけであった。そして、そう命じた時、自分がこの家にとどまるつもりであることが、彼にはわかった。

ストウナーは、限界決定の暗黙の条約によって許されたらしい、この家の中の自分の位置を厳格に守った。百姓仕事に手を出すようになっても、指図をうけて働き、決して指図をする方にはまわらなかった。ジョージ老人、葦毛の小馬、バウカーの仔犬だけが、この世の唯一《ゆいいつ》の仲間であった。ほかの場合、それは氷のような沈黙と敵意との世界であった。この家の女主人は、ついぞ見たこともなかった。一度、彼女が教会へ行ったことがわかったので、自分がその地位を奪い、その悪評をも引受けた青年に対する知識のかけらでも集めたいと、客間にそっと忍びこんだことがあった。たくさんの写真が壁にかけてあったし、しかつめらしく額に入れてあったりしたが、求める肖像は、そのなかにはなかった。やがて、人目にふれないように隠されたアルバムの中に、求めるものを見つけ出した。『トム』と名前のはってある、子供時代からの写真、ずんぐりした三歳の子供、妙な服を着て、不恰好《ぶかっこう》な十二歳ばかりの少年、いやそうにクリケットのバットを持って、ひどくぺったりと髪を真中でわけた十八歳のちょいとした美青年、そして最後に、たしかになんとなく向う見ずな表情をした若者の写真があった。最後の肖像を、ストウナーは特別な関心をもって眺めた。彼に似ていることは、見誤りようもなかった。

トムが人々に忌《い》みきらわれる人間として除《の》け者にされている罪の性質を、たいていのことにはおしゃべりなジョージの口から、なんとか聞き出そうと、彼は幾度となく試みた。

「この辺のものは、おれのことをなんと云ってるかね」と彼は、ある日、遠く離れた畑から一緒に帰る時、たずねてみた。

「ひどいことを云っておりますよ、とてもひどいことをな。ええ、困ったことでごぜえます、困ったことでごぜえますよ」

そして、それ以上、この老人から聞くことはできなかった。

クリスマスの数日前の、ある晴れた、冷たい夕暮、ストウナーはこの辺一帯の風景を見はらす、果樹園の一隅に立っていた。あちこちにランプや蠟燭《ろうそく》の光が、点々とまたたいているのが見えた。それはクリスマスの季節の善意や陽気さに満ちた、人間の家庭について物語っていた。背後には、かつて誰も笑ったことのない、喧嘩《けんか》でさえ陽気に思われる、陰気な、黙然とした百姓家がよこたわっていた。振返って、暗い影におおわれた建物の、ながい灰色の正面を見やった時、戸が開いて、ジョージ老人が急いで近づいて来た。ストウナーには、かりそめの自分の名が、不安に緊張した調子で呼ばれるのが聞えた。たちまち、彼にはなにか厄介なことが起ったのがわかった。そして、形勢の急変とともに、この隠れ家が、彼の眼には平和と満足の場所となり、そこから追い出されることが怖《おそ》ろしくなった。

「トムさま」と老人は嗄《しわが》れた低声で云った。「しばらく、ここからそっと逃げて下せえまし。マイクル・リーが村に帰って来て、おめえさまに出会い次第、うち殺すと云っております。やつなら、そのくらいのことはしますよ、人殺しでもやりかねない様子をしております。闇にまぎれて逃げて下せえ、ほんの一週間かそこらだ、やつはそうながいこと村にはいましねえからね」

「だが、どこへ行けばいいんだ」とストウナーは、老人の明らかに見てとれる恐怖に感染して、どもりながら云った。

「海岸ぞいに、パンチフォードへ行って、そこに隠れていて下せえまし、マイクルが無事に行ってしまったら、わしがあの小馬でパンチフォードのグリーン・ドラゴンへ行きます。グリーン・ドラゴンに小馬がつないであるのを見なすったら、戻ってござらして構わねえ合図だと思って下せえ」

「だが――」とストウナーはためらいながら云った。

「銭のことなら、心配はいりましねえ。奥さまもわしが云った通りにするがええと云わしゃって、これを下さいましたよ」

老人は一ポンド金貨を三つと、銀貨を少しばかり差し出した。

あの老婦人の金をポケットに入れ、その夜、農場の裏門から忍び出た時ほど、心にやましい思いをしたことはなかった。ジョージ老人とバウカーの仔犬が、庭から無言の別れを見送っていた。自分が二度とここへ帰って来るとは考えられなかった。そして、自分の帰りを待ちこがれるだろう、このつつましやかな友人たちに対する、良心の呵責《かしゃく》を感じた。いつか、おそらく本物のトムが帰って来て、この素朴な農場の人たちの間に、彼らがこの屋根の下にかくまってやった、影のような客の身許について、つよい疑惑が起ることだろう。自分の運命については、さしせまった不安を彼は感じなかった。三ポンドくらいの金は、その背後に何もない場合、世間ではあまり役に立たないかもしれないが、自分の懐《ふところ》工合をペニーで勘定して来た人間にとっては、立派な出発点であるように思われた。希望を失ったヤマ師として、かつてこの路《みち》を歩いた時、運命が気紛《きまぐ》れな微笑を投げかけてくれたのだった。それに、まだまだなにか仕事を見つけ、新しく再出発をする機会がないとはいえないのだ。農場から離れるにしたがって、だんだん彼は元気が出て来た。一度失った本来の自分にふたたび帰り、他人の不安な幽霊の役割をやめたことに、ある安心感があった。どこからともなく、自分の生活にはいりこんだ、執念ぶかい敵のことなど、彼はほとんど考えようともしなかった。もはやあの生活を後にしたからには、それに真実らしくもない話が一つ加わったところで、なにほどの違いもなかった。この何カ月の間にはじめて、彼は気楽な、心も軽い歌をくちずさみはじめた。そのとたん、繁《しげ》った槲《かしわ》の木の蔭から、鉄砲を持った一人の男が歩み出た。それがいかなる人物か、考える必要もなかった。白い、表情のない顔にそそぐ月の光に、ストウナーが放浪時代の浮き沈みの間にも、かつて見たことのないような、人間の憎悪《ぞうお》のらんらんたる輝きが、はっきりあらわれていた。彼は飛びのいて、路の縁にある生垣を、懸命に破ろうとしたが、強い枝が邪魔になって動けなかった。運命の犬は、こんな狭い路に彼を待伏せしているのであった。そして、今度こそは逃げ隠れもできなかった。

開いた窓

The Open Window

「伯母はじき降りてまいります、ナトルさま」と、至極おちついた十五歳の若い婦人は云《い》った。「それまでの間、わたくしのようなもので御辛抱おねがいいたしますわ」

フラムトン・ナトルは、後からあらわれる伯母を不当に無視せず、眼の前の姪《めい》を正当に喜ばせるようなことを云おうと努力した。そして、心の中では、こうしてまるで見も知らぬ人たちを、つぎからつぎへと固苦しい訪問をして、自分の神経衰弱の療養の助けになるものかどうか、前にもまして覚束《おぼつか》なく思った。

「結果はわかっていますよ」彼がこの浮世はなれた田舎に行く支度をしていると、姉は云ったものだった。「田舎に埋もれてしまって、人間らしい話相手といったらまるでないし、憂鬱《ゆううつ》になって、神経衰弱がかえって悪くなるのがおちですよ。わたしの知っている方には、みんな紹介状を書いてあげますわ。なかには、まああいい人だっていましたよ」

フラムトンは、これからその紹介状を奉呈しようとするサプルトン夫人が、そのいい人の方にはいるだろうかと考えていた。

「このあたりに、お知合いはたくさんいらっしゃいますの？」と姪は、もう沈黙の交渉はこれくらいでいいと判断して、たずねた。

「それが一人もありませんのでね」とフラムトンは云った。「四年ばかり前、姉がこちらの牧師館に滞在していたことがありますので、こちらの方々に紹介状を書いてくれたのです」

彼は最後の言葉に、はっきりと遺憾の意をこめて云った。

「では、伯母のことは、あまり御存じじゃないんですのね」と、この落ちついた少女は、なおも追求して来た。

「お名前とお所だけですよ」とフラムトンは答えた。サプルトン夫人には現在良人《おっと》があるのか、それとも寡婦《かふ》なのか、それさえ彼は知らなかった。部屋にはなんということなしに、男性の臭《にお》いがした。

「伯母は、ちょうど三年前に、大きな不幸に見舞われました」と少女は云った。「あなたのお姉さまがお帰りになった後なのですわね」

「不幸って？」とフラムトンはたずねた。こんな安らかな田舎では、不幸など、なんとなく場ちがいのような気がしたのだ。

「十月の午後だというのに、窓をこんなに開けはなしにしておくのを、へんだとお思いになるかもしれませんわね」と少女は、芝生の方へ開いた、大きなフランス窓を指しながら云った。

「季節にしちゃ、ちょっと暖いですからね。でも、あの窓がその不幸となにか関係でもあるのですか」

「あの窓から、ちょうど三年前の今日、伯父と伯母の二人の弟が、猟に出て行きました。そして、そのまま帰って来ませんでした。気にいりのシギ猟場への途中、荒地を通っている時、まちがって沼地に、三人とも呑《の》みこまれてしまったのです。その年はとても雨の多い夏だったので、今まではなんでもなかった場所が、前触れもなしにいきなりくずれたのですわ。死骸《しがい》はあがりませんでした。それがまたいけなかったのです」ここまで来ると、少女の声は、今までの落ちついた調子を失って、たどたどしい、人間味をおびた調子になった。「気の毒に、伯母はそれ以来ずっと、いつかはあの人たち——あの人たちと、それから一緒に呑みこまれた茶色のスパニエル種の犬とが帰って来て、いつもの通り、あの窓からはいって来ると、思いつづけているのですわ。

ですから、窓はすっかり暗くなるまで、毎晩開けたままにしてありますの。伯母はその人たちの出かけた時のことを、よくわたくしに話してきかせますわ。伯父は白い防水外套《がいとう》を腕にかけて、末の弟のロニーは伯母が神経にさわるというので、伯母をからかう時には、いつもその歌をうたうのですが、その時も『バーティ、なんでおまえは跳ねるのだ』を歌いながら、出て行ったんですって。わたくし、今日のようなひっそりした夕暮など、あの人たちが三人そろって、あの窓からはいって来るんじゃないかというような気がして、ゾッとすることが――」

少女はかすかに身震いして、言葉を切った。伯母がおそくなった申訳をしながら、急いではいって来たので、フラムトンはほっとした。

「ヴェラでちゃんとお相手ができましたかしら」

「とても面白いお話をうかがいましたよ」とフラムトンは云った。

「窓を開けはなしにしたりして、お気にかけないで下さいましな」とサプルトン夫人は元気よく云った。「良人と弟たちが、猟からそのまま帰って参ります。そして、いつもあの窓からはいって来るのでございます。今日は沼地でシギ射《う》ちに出かけたのでございますから、またさぞ敷物をめちゃめちゃにいたしますことでございましょう。男の方って、みなさん同じことでございますわね」

彼女は猟《りょう》のことや、鳥が少くなったことや、この冬の鴨《かも》猟の予想などを、陽気に話した。フラムトンにしてみれば、気味わるさでいっぱいだった。彼は必死になって、しかし、完全には成功しなかったのであるが、もっと不気味でない話題へ変えようと努力した。夫人が彼にはほんの一片の注意しかはらわず、眼はたえず彼を通り越して、開いた窓から、その先の芝生へと移しているのに、彼は気づいた。彼がよりによって、年に一度のこの日に訪問したということは、たしかに不運な偶然であった。

「診てもらった医者は一人残らず、完全な休養を命じましてね。つまり、精神的興奮や、はげしい肉体的運動といったようなものは、避けるようにというのですよ」とフラムトンは云った。彼は、赤の他人や、ゆきずりの知合は、他人の病気、その原因、治療などの、実に些細《ささい》なことにまで餓《かっ》えているものであるという、かなり普遍的な妄想に、悩まされていたのだった。「食餌《しょくじ》の方は、医者同士の意見が完全に一致というわけに参りませんでね」

「さようで?」とサプルトン夫人は、最後をあくびに置きかえただけの声で云った。と、急に顔をかがやかせ、きっと注意を集中した――だが、それはフラムトンが云ったことに対してではなかった。

「ああ、やっと帰って来ましたわ!」と彼女は叫んだ。「ちょうどお茶に間にあって。

それにまるで眼まで泥んこになったみたいじゃございませんか！」

フラムトンはちょっと身震いして、同情をこめた理解を伝えるつもりで、姪の方を見やった。少女は眼に放心したような恐怖を浮べて、開いた窓から外を見つめていた。名状しがたい不安に、ゾッとするような衝撃をうけて、フラムトンは坐《すわ》ったまま振返って、少女が見ている方に眼をやった。

濃くなりまさる宵闇《よいやみ》の中に、三人の人影が、芝生を横切って、窓の方へ歩いて来た。三人とも猟銃をかかえ、一人はおまけに、白い外套を肩にかけていた。疲れたようすの茶色のスパニエルが、三人のすぐ後からついて来た。音もなく彼らは近づいたが、すぐに薄闇の中から『バーティ、なんでおまえは跳ねるのだ』を歌う、若い、嗄《しわが》れた声が聞えた。

フラムトンは夢中でステッキと帽子をつかんだ。そして、まっしぐらに逃げ出す彼の眼には、玄関のドアも砂利敷きの車道も、表の門も、ぼんやりとしかうつらなかった。道を走って来た自転車は、眼前の衝突を避けるためには、生垣に突込まざるを得なかった。

「ただいま」と白い防水外套の男が窓からはいりながら云った。「相当泥だらけになったが、たいてい乾いたよ。ぼくたちが来ると、急いで駆け出した男は誰だい」

「ずいぶん変な方ですわ、ナトルさんとかいって」とサプルトン夫人は云った。「御自分の病気のことしか話さず、あなた方がお帰りになると、さようならとも失礼とも云わずに大急ぎで逃げ出しておしまいになるなんて。あれじゃ、誰だって幽霊でも見たのかと思いますわ」

「わたくし、犬のせいだと思うわ」と姪が落ちつきはらって云った。「犬が大きらいだって云ってらしたんですもの。ガンジス河の岸かどこかで、野良犬《のらいぬ》の群に追っかけられて、墓場に逃げこんで、頭のすぐ上では犬が吠《ほ》えたり、唸《うな》ったり、泡をふいたりしている間、新しく掘った墓穴の中で、一晩じゅう過したことがあるんですって。恐《こわ》くなるのもあたりまえですわ」

即座に話をつくりだすのは彼女の得意とするところであった。

宵《よい》闇《やみ》

Dusk

ノーマン・ゴーツビーは、灌木《かんぼく》を植えこんで、手摺《てすり》で囲いをした、細長い芝生に脊《せ》をむけ、広い車道の向うのロトン・ロウを前にして、ハイド・パークのとあるベンチに腰をおろしていた。轍《わだち》の響、馬蹄《ばてい》の音の絶え間ないハイド・パーク・コーナーは、すぐ右手にあった。三月はじめの宵の六時半頃のことで、宵闇が重くあたりの風景の上に垂れこめていた。あるかなきかの月の光と、たくさんの街灯にやわらげられた宵闇であった。道路も小径《こみち》もがらんとしていたが、それでも、薄明の中に音もなく動いたり、周囲の暗い蔭《かげ》とほとんど見分けもつかず、そこここのベンチや椅子《いす》にひっそり腰をおろしている、人目もひかぬ人影は多かった。

あたりの風景はゴーツビーを満足させ、彼の現在の気分にしっくりした。たそがれは、彼に云《い》わせれば、敗北者の時間であった。闘ってついに敗れ、世間の物好きな連中の穿鑿《せんさく》ずきな眼からできるだけ自分たちの落ち目になった運命と、ふたたび陽の目を見ぬ希望を隠そうとする男や女は、彼らのみすぼらしい服装や、力なく垂れた肩や、悲しげな眼が気づかれずにすむ、あるいは、いずれにせよ、知人の眼から逃れることのできる、こうした薄闇の時間に姿をあらわすものである。

戦敗れし国王は
不審の視線《まなこ》を避けがたし
人の心はかくも冷たし

たそがれの放浪者は、不審の視線が注がれることを好まず、かかるがゆえに、彼らはコウモリのごとく現われ、普通の入園者を吐き出した後の公園で、悲しくも楽しみを求めているのである。浮世とくぎる灌木や手摺の向うは、きらめく灯と、かしましい、織るがごとき車馬の領土であった。煌々《こうこう》たる、幾層もの窓々は、宵闇をとおしてかがやき、不夜とも思われるばかり、人生の闘いで確乎《かっこ》たる地位に踏みとどまっている人々、あるいは、ともかく敗北を認めなくてもすむ他の人々の巣を示していた。ゴーツビーの空想は、ほとんど人影もたえた小径のベンチに腰をおろしている間、こうしたもろもろのものを描いていた。自分まで敗北者の仲間に入れたい気分であった。眼の前にせまった金の問題はなかった。自分でその気になれば、光と騒音の街にさまよい出し、富貴を享楽《きょうらく》する人々、あるいは、それを求めてあがいている人々の、ひしめきあう仲間のなかに、おのれの席を占めることもできた。彼の敗北は、もっと抽象的な野心においてであって、いまのところ、心は傷つき、幻滅を感じ、街灯と街灯との間の暗いところを、おのがじし歩いている仲間の放浪者を、観察し分類することに、あるシニカルな喜びを味わうといった気分であった。

彼のベンチのそばには、一人の年配の紳士が腰をおろしていた。そのようすには、いかなる人にも、あるいはいかなる物にも、抵抗することをようやくにしてやめた人間に残る、自尊心のわずかな痕跡《こんせき》らしい、力ない無関心があらわれていた。着ているものは、みすぼらしいというほどではなく、すくなくとも、あたりの薄明りでは、そう非のうちようもなかったが、この人物が半クラウンのチョコレートの箱を買ったり、ボタン孔《あな》のカーネーションのために、九ペンスを投ずるとは、誰にも想像できなかった。彼はあきらかに、笛吹けども人踊らざる、見棄《みす》てられたオーケストラの一員であった。それに応《こた》える涙を誘わない、悲しみの曲の歌手であった。彼が立上って離れて行く時、ゴーツビーは、けんつくを喰わされ、木の端くれのように扱われる家庭へ帰るのか、あるいは、毎週の部屋代を払えるかどうかが、彼を刺戟《しげき》する関心の最初であり最後である、殺風景な下宿へでも帰るのだろうと想像した。立去ってゆくその姿は、ゆっくりと闇の中へ消えて行ったが、彼が坐《すわ》っていた席は、ほとんどいれちがいに、服装こそかなりよかったが、先住者より元気そうなようすとは云いかねる、一人の青年に占められた。この新来者は、世の中がままならぬという事実を強調するかのように、ベンチに腰をおろす時、腹だたしそうな、そして、いかにも聞えよがしな呪《のろ》いの言葉を吐いた。

「あまりいい御機嫌じゃないようですね」この示威運動に当然注意すると期待されていると判断して、ゴーッビーは云った。

青年はなれなれしい、率直な態度で、彼の方をふりかえった。これを見て、ゴーツビーの方はすぐに警戒した。

「ぼくのような苦しい羽目におちたら、あなただって、いい機嫌じゃいられないでしょうよ」と彼は云った。「こんなばかばかしいことをしたのは、生れてはじめてですよ」

「ほほう」とゴーツビーは熱のない調子で云った。

「今日の午後上京して、バークシャー・スクエアのパタゴニアン・ホテルに泊るつもりだったのですがね」と青年はつづけた。「行ってみると、ホテルは何週間か前にとりこわされて、その跡に映画館が建っているんですよ。タクシーの運転手が、すこし離れたほかのホテルを教えてくれたので、そのホテルへ行ったのです。家族のものに手紙で住所をしらせておいてから、石鹸《せっけん》を買いに出かけました――荷物に石鹸を入れるのを忘れていて、ホテルの石鹸を使うのは、きらいだものですからね。それから少しばかり散歩したり、酒場でいっぱい飲んだり、店をひやかしたりして、さてホテルへ帰ろうとすると、突然、その名前も、なんという町だったかも、憶《おぼ》えていないことに気がついたのです。ロンドンには友人もなければ親類もない人間にとっちゃ、結構な羽目になったものですよ！　もちろん、家族のものに電報でホテルの名を問合せればいいんですが、明日でなきゃ手紙は着かないときている。その間、ぼくは金なしで過さなきゃならない、一シリングばかりしか持って出なかったんで、石鹸を買ったり、いっぱい飲んだりで、それもなくなって、ごらんの通り、懐中わずか二ペンス、今晩は泊るところもなく、うろついているという始末ですよ」

話がおわると、雄弁な沈黙がつづいた。「あなたはぼくがまるで出鱈目《でたらめ》な話をしているとお考えのようですね」と青年は、やがて、声に怨《うら》みがましい調子をこめて云った。

「出鱈目なんて思うものですか」とゴーッビーは云った。「ぼくも一度、外国の首都で、それと同じことをしたことがありましてね、その時は二人づれだったのですから、ひどいもんですよ。幸いに、ホテルが運河みたいなものに沿っていたのを憶えていましたので、その運河が見つかると、ホテルへ帰る道は、わけなくわかりましたよ」

この想出話《おもいでばなし》を聞いて、青年は陽気になった。「外国の都会なら、ぼくもこんなに心配しませんよ。領事のところへ行って、必要な助力をあおげばいいんですからね。ところが、自分の国内でこんな羽目になると、はるかに手のつけようがありませんね。ぼくの話を鵜呑《うの》みにして、金をいくらかでも貸してくれる、太っ腹な人間を見つけ出さないかぎり、今夜は堤防で野宿でもすることになりそうですな。ともかく、ぼくの話をとんでもない出鱈目だと思って下さらなかったのは有難いですよ」

青年は、ゴーッビーが必要な援助を惜しむような人物ではないと思っていることを、示そうとでもするように、最後の言葉にあふれるような熱意をこめて云った。

「おわかりのことと思いますがね」とゴーッビーはゆっくりと云った。「きみの話の弱点は、買った石鹸を出して見せられないというところにありますね」

青年はあわてて坐りなおして、外套《がいとう》のポケットを急いで探っていたが、急に立上った。

「きっとなくしたにちがいない」と彼は腹立たしそうに呟《つぶや》いた。

「一日のうちに、ホテルと石鹼をなくするとは、計画的な不注意を示すものですな」とゴーッビーは云ったが、青年はその言葉の終るのを待ってはいなかった。頭を高くあげ、なんとなくくたびれの見える気どったようすで、そそくさと小路を立去って行った。

「石鹼を買いに出かけるというのは」とゴーツビーは考えた。「あの話の中でも、なかなか尤《もっと》もらしく考えた手だが、その些細《ささい》な点のおかげで失敗したとは、気の毒なものだ。いかにも薬屋らしい心配りをこめて、包装した石鹼一個を用意しておくだけの、聡明《そうめい》な深慮があったら、彼独特の商売での天才というべきだったろう。ああいう商売では、あらゆる場合に対する準備をととのえておく、無限の能力がなければ、天才とはいえないさ」

そんなことを考えながら、ゴーツビーは帰ろうと立上った。そして、立上りかけた彼の口から、不安の叫びが洩《も》れた。ベンチのそばの地面に、いかにも薬屋らしい心配りをこめて包装した、小さな楕円形《だえんけい》の包みが落ちているのだ。それはたしかに石鹼で、あの青年がどっかりとベンチに腰をおろした時、外套のポケットから落ちたものであることは明らかだった。次の瞬間、ゴーツビーはあかるい色の外套を着た青年の姿を求めて、宵闇につつまれた小路を駆け出していた。そして、ほとんど諦《あきら》めかけた時、探す相手が、心をきめかねたようすで、車道のふちに立っているのを見つけた。あきらかに、公園を横切って行こうか、それとも雑沓《ざっとう》するナイツブリッジの方へ行こうかと迷っているようすであった。ゴーッビーが呼んでいるのを知って、彼は防禦《ぼうぎょ》的敵意を示しながら、ぐるりと振返った。

「きみの話の真実性を示す、重要な証拠物件があらわれましたよ」とゴーッビーは石鹼を出しながら云った。「ベンチに腰をおろした時、外套のポケットからすべり落ちたんでしょうな。きみが行った後、地面にあったのを見つけたんですよ。きみを疑ったことは許して下さい、なにしろ、見たところは、きみにはまったく不利でしたからね。ところで、ぼくは石鹼を証拠に求めたのだから、今度はぼくがその判決に従うべきだと思いますね。もし二十シリングで御用に立つようでしたら――」

青年は金貨をポケットに入れると、この問題についての疑念を、急いで払いのけた。

「ぼくの住所のある名刺を差上げておきましょう」とゴーッビーはつづけて云った。「お金を返して下さるのは、今週じゅうならいつでも。それから、石鹼をどうぞ――また、なくさないように。きみにとっては救いの神だったんですからね」

「あなたが見つけて下さったのは、幸運でしたよ」と青年は云って、それから、妙にせきこみながら、一言二言礼の言葉を云うと、急いでナイツブリッジの方へ立ち去った。

「かわいそうに、すっかり参ってたようだ」とゴーツビーは思った。「それも無理はないさ。あんな羽目に追込まれていたのに助かったんだから、ずいぶん嬉《うれ》しかったろう。おれも、あまり利口ぶって、状況でものを判断するものじゃないという教訓を得たわけだ」

ゴーツビーがいま来た道を引返して、このささやかな劇の舞台になったベンチの前を通りかかると、一人の年配の紳士が、ベンチの下やまわりから、頭をつっこんだり、のぞきこんだりしていた。そして、それは最初にベンチにいた紳士であることがわかった。

「なにかおなくしになったんですか」と彼はたずねた。

「ええ、石鹼をね」

ビザンチン風オムレツ

The Byzantine Omelette

ソフィ・チャトル＝モンクハイムは信念によって社会主義者となり、結婚によってチャトル＝モンクハイム家の一人になった。この富裕な一家の一員たる、彼女の結婚の相手は、彼の親類が金持であるように金持であった。ソフィは富の分配ということに関しては、きわめて進歩的な、明確な意見を持っていた。彼女もまた金を持っていたとは、満足すべき、好運な境遇であった。社交界の集りや、フェビアン協会の会議で、資本主義の害悪を雄弁に痛罵《つうば》している時も、彼女は、その不平等と不正にもかかわらず、資本主義機構が、おそらく自分の一生は持ちこたえるだろうという快よい気持を意識していた。中年の社会改良主義者にとって、彼らが注入した善は、もしそれがいやしくも存続すべきものなら、彼らの死後にも存続するにちがいないということは、慰めの一つであった。

ある春の夕、夕食にまもない頃、ソフィは鏡と侍女との間にじっと坐《すわ》って、髪を凝った最新流行型に結う工程をうけていた。彼女は大きな安らぎに囲まれていた。非常な努力と忍耐をもって、ついに望んでいた目的を達した人、そして、到達した後も、その目的がやはりきわめて望ましいものであることを知った人の安らぎであった。シリアの太公が賓客として彼女の屋根の下に駕《が》を枉《ま》げることを嘉納《かのう》され、現に今、彼女の屋根の下に来臨せられ、まもなく彼女の食卓につかれようというのである。よき社会主義者として、ソフィは社会的差別を非難し、王侯的階級の観念を軽蔑《けいべつ》してはいたが、もしこうした地位や品位の人工的な順序が、どうせ存在するものなら、高貴なる等級の高貴なる見本が、自分のパーティに出席するのを、喜び、且《か》つ熱心に求むることは人後に落ちなかった。彼女は罪を憎んで人を憎まぬほどの寛容さを持っていた——たいして交際もないのだから、シリアの太公にあたたかい個人的愛情をいだいているわけではなかったが、それでも、シリアの太公として、彼は彼女の屋根の下に、すこぶる喜んで迎えられたのである。それが何故であるか、彼女には説明できなかったが、誰も説明を求めようとはしなかったし、多くの女主人は彼女を羨望《せんぼう》した。

「今夜は特別にうまくやっておくれよ、リチャードスン」と彼女は満足そうに、侍女に向って云《い》った。「わたしのいちばん美しいところを見せなきゃならないんだからね。

わたしたちみんな、いつもよりずっと腕をふるわなきゃならないんだよ」

侍女は答えなかったが、わきめもふらぬ眼つきや、巧みな指の運動からみて、彼女が平常以上の腕をふるおうという野心に燃えていることは明らかであった。

ドアをノックする音が聞えた。拒まれるとは、てんから思ってもいないような、静かではあるが、断乎《だんこ》たるノックであった。

「誰だか見てきておくれ」とソフィは云った。「葡萄酒《ぶどうしゅ》のことを聞きに来たのかもしれないよ」

リチャードスンは戸口で姿の見えない相手と、なにか急いで話しあっていた。そして戻って来た時には、それまでのきびきびした動作はうせて、妙にのろのろとしたところが目立った。

「どうしたの」とソフィはたずねた。

「家事向きの召使が『職場放棄』をしたのでございます、奥さま」とリチャードスンは答えた。

「職場放棄って！　あれたちがストライキにはいったとお云いなのかい」

「さようでございます、奥さま」とリチャードスンは云って、ついでに情報をつたえた。「問題はガスペアのことなんでございますよ」

「ガスペア？」とソフィはいぶかしそうに云った。「あの臨時雇の料理人頭！　オムレツの専門家！」

「さようでございます、奥さま。オムレツ専門家になる前、あの人は従僕をしておりまして、二年前のグリムフォード卿家《きょうけ》の大ストライキのスト破りだったのでございます。召使たちは、奥さまがあの人をお雇い遊ばしたことを知るとすぐ、抗議のために『職場放棄』をすることに決議したのでございます。みんなは奥さまに対して、個人的に苦情はないのでございますけれど、ガスペアを即時解雇するように要求しているのでございます」

「だって、ビザンチン風オムレツの作り方を知ってるのは、このイギリス中であの男しかいないんだよ。わたしはシリアの太公のために、特にあの男を雇ったんで、すぐやめさせるなんて、できることじゃないよ。パリまで料理人を迎えにやらなきゃならないしね。それに、太公はビザンチン風オムレツがだいのお好きなんだから。停車場から来る時も、わたしたち、お話っていえば、そのことばっかりだったんだからね」

「あの人はグリムフォード卿家のスト破りだったのでございますよ」とリチャードスンは繰返すだけだった。

「あんまりだわ。シリアの太公が来てらっしゃるという、こんな時をねらって、召使のストライキなんて。すぐなんとかしなくちゃ。はやく髪を結いあげておくれ。なんとか説きおとしてみるから」

「お髪《ぐし》を結いあげるわけには参らないのでございます、奥さま」とリチャードスンは、静かに、だが強い決意をみせて云った。「わたくし、組合にはいっているものでございますから、ストライキが解決いたしますまでは、これ以上一秒もお仕事をいたしますわけには参らないのでございます。御意にさからいまして、申訳けございません」

「でも、それは不人情というものだよ！」とソフィは絶望的に叫んだ。「わたしはいつも模範的な女主人で、組合員以外の召使は雇わなかったんだよ。それがこんなことになって。自分じゃ髪を結えやしないわ。どうやるのか知らないんだもの。どうしたらいいだろう。こうなると罪悪だわ！」

「罪悪とはよくおっしゃいましたわ」とリチャードスンは云った。「わたくしは立派な保守派でございますから、社会主義者のばかばかしいやり方には、我慢がならないんでございますよ、奥さまの前で失礼でございますけど。なにもかも、これは圧制でございますよ、そうでございますとも。でも、わたくしだって、ほかの人たちと同じに、その日の口は過して参らなきゃなりませんから、組合にはいらないわけには参らないのでございます。ストライキがすみますまでは、これ以上ヘアピン一本、手を触れることもできません、たとい、奥さまの方で、給料を倍にしてやるとおっしゃってもですわ」

ドアを蹴飛《けと》ばさんばかりの勢であけて、キャザリン・マルサムがプンプンしながらはいって来た。

「結構なことが起ったものね」と彼女は叫んだ。「まるで予告もせずに、いきなり召使がストライキをはじめて、おかげで、わたしはこの始末よ！　こんななりじゃ人さまの前に出られやしないわ」

チラと見やっただけで、ソフィもキャザリンが人の前に出られるざまではないことを保証した。

「みんなストライキをはじめたのかい」と彼女は侍女にたずねた。

「お台所のものはやっておりません」とリチャードスンは答えた。「組合がちがいますから」

「では、お料理の方は、まあ大丈夫ね」とソフィは云った。「それだけでも有難いと思わなくちゃ」

「お料理！」とキャザリンは声あららげて叫んだ。「わたしたちのうち、誰も出られないっていうのに、お料理がいったいなんの役にたつの？　あなたの髪を見てごらんなさいな――それからわたしを見て！　いえ、見られちゃ困るわ」

「女中がいなくちゃ、どうにもならないことは、わたしにもわかるわ。御主人じゃ手助けにならないかしら」とソフィは絶体絶命の気持でたずねた。

「ヘンリーが？　あの人、わたしたちより困っているのよ。どこに行ったって、へんな、新式のトルコ風呂《ぶろ》にはいらなきゃ気がすまない人でしょう。ところが、そのトルコ風呂のやり方をほんとうに知ってるのは、あの人の下男しかいないのよ」

「御主人だって、一晩ぐらいトルコ風呂なしでも我慢できるわ」とソフィは云った。

「わたし、髪なしじゃ出られやしない。トルコ風呂なんて贅沢《ぜいたく》だわ」

「ごあいにくさま」とキャザリンは、危険をはらんだ激しい調子で云った。「ヘンリーはストライキがはじまった時、風呂にはいってたんですよ。風呂の中によ、わかって。今だって、まだはいってるわ」

「出られないの？」

「方法がわからないのよ。『放出』と書いた把手《とって》をひっぱるたびに、ヘンリーったら、熱い蒸気ばかり放出してるの。お風呂には蒸気が二種類、『適度』と『過度』とあるの。ヘンリーは両方とも出してるのよ。今頃、わたしは後家になってるかもしれないわ」

「わたし、ガスペアを追い出すわけには、どうしてもいかないわ」とソフィは泣声で云った。「ほかに、も一人オムレツ専門家をつれてくることなんかできないんですもの」

「ほかに、も一人良人《おっと》をつれて来る時のわたしの困難さなんか、もちろん、たいしたことじゃないんだから、同情するだけのものはありませんよ」とキャザリンは吐き出すように云った。

ソフィは旗をまいた。「行って、ストライキ委員会なり、誰だっていいから、この事件の指導者なりに、ガスペアはすぐ解雇するって話しておくれ」と彼女はリチャードスンに云った。「それから、ガスペアには書斎でわたしがすぐ会うからって伝えておくれ。払うものだけは払うし、事情をできるだけよく話すから。そしたら、飛んで帰って、わたしの髪を結いあげておくれ」

三十分ばかりの後、ソフィは、食堂へと堂々たる行進するために並んだ、大客間の賓客の先導をつとめた。ヘンリー・マルサムが熟れた苺《いちご》のような色をしているほかに、集ったものの中には、さきほど遭遇し打開した危機の外面的痕跡《こんせき》を残しているものはなかった。しかし、危機がつづいている間の緊張が、あまりに圧倒的だったので、いくらかの精神的影響を残さずにはすまなかった。ソフィは彼女の高名なる賓客に、上の空で話しかけ、眼は時がたつにつれて、やがて晩餐《ばんさん》の支度がととのったことが告げられるであろう大きなドアの方へと、しげしげと向けられていた。ときどき、彼女は鏡の方を向いて、美しく結いあがった自分の髪を見やった。それはさしずめ、海上保険業者が、はげしい暴風雨のすぐ跡について、無事港にはいって来た、延着の船をほっとして見ているといったようすだった。やがて、ドアが開いて、待ちこがれた給仕頭がはいって来た。ところが、晩餐の支度ができたことを、賓客に披露するでもなく、ドアははいって来た彼の後でしまった。報《しら》せはソフィだけに伝えるものであった。

「御食事はできません、奥さま」と彼は厳粛な声で云った。「お台所の召使どもが『職場放棄』をいたしました。ガスペアは料理人及び厨房《ちゆうぼう》従業員組合に所属しておりますので、召使どもはガスペアの即時解雇を聞きますと、すぐにストライキにはいったのでございます。召使どもはガスペアの即時復職と、組合に対する謝罪とを要求しております。申し添えておきますが、奥さま、召使どもは非常に強硬でございます。わたくしは、すでにお客さまに出してありますロールパンさえ、返すように要求されているのでございます」

十八カ月たつと、ソフィ・チャトル＝モンクハイムは、ふたたび昔の社交界に出入りしはじめたが、なお非常な注意を要する状態であった。医者は、社交界の集りとか、フェビアン協会の会議というような、刺激的なところには、出席を禁ずるであろう。また事実、彼女が出席を望むかどうか、すこぶる疑問である。

休養

The Lull

「わたし、ラティマー・スプリングフィルドに、日曜日にうちに来て、その晩は泊って行くようにって、云《い》ってやりましたよ」と朝食の食卓で、ダーモット夫人が家族に告げた。

「奴《やっこ》さんも、当選しようってんで、たいへんな苦労だったろうね」と良人《おっと》は云った。

「まったくですわ。投票は水曜日ですもの、それまでには、かわいそうに、過労で幽霊みたいになりますわ。こんなひどい土砂降りの中で、選挙運動なんて、どんなでしょうね。毎日毎日二週間も、泥だらけの田舎道を歩いて行って、吹きさらしの学校の教室で、濡《ぬ》れそぼった聴衆に演説するなんて。日曜日の昼前は、どこかの教会に顔出ししなきゃならないでしょうから、その足ですぐうちに来て、政治のことからすっかり離れて、ゆっくり休息するがいいんですよ。わたし、政治のことなんか、思い出させもしませんわ。『長期議会を解散するクロムウェル』の絵は、階段からとりはずさせましたし、ローズベリー卿《きょう》の『ラダス』の肖像まで取払ったんですよ。それからね、ヴェラ」とダーモット夫人は、十六歳になる姪《めい》の方を向いて云った。「髪につけるリボンの色に注意するんですよ。なんといったって、青と黄色はいけません。反対党の色ですからね。エメラルド・グリーンやオレンジもいけません、地方自治を一枚看板にしてるんですからね」

「公式の場合は、わたくし、いつも黒のリボンをつけてますわ」とヴェラは、ひどくツンとして云った。

ラティマー・スプリングフィルドは、どちらかといえば陰気な、年寄りじみた青年で、政界にはいったのも、ほかのものが半ば喪に服するような気持に近かった。しかし、熱狂者という型ではなく、相当に奮闘的な努力家だったので、ダーモット夫人が今度の選挙では、大馬力で働いていると云ったのは、当然、見当ちがいではなかった。夫人が無理に勧めた休養は、明らかに喜んで受け入れられはしたが、それでも、選挙戦の神経的興奮があまりに強かったので、それを完全に追いはらうことはできなかった。

「ラティマーったら、今夜は夜なかまでかかって、最後の演説の要点を仕上げるつもりなんですよ」とダーモット夫人は口惜しそうに云った。「でも、昼からいっぱいと宵のうちは、政治から離しておきましたわね。それ以上は、わたしたちの力には及びませんわ」

「細工は流々」とヴェラは云ったが、それは心の中で云ったのだった。

ラティマーは寝室のドアをしめるが否《いな》や、ノートやパンフレットの束に埋もれ、使えそうな事実や、用意周到な作り話をうまく整理するのに、万年筆や手帳が大活躍をはじめた。仕事にかかって、三十五分ぐらいたち、家じゅうが、田園生活の健康な眠りにはいったとおぼしき頃、廊下で、首をしめられるようなキイキイ声やバタバタ騒ぎが起り、つづいてドアを叩《たた》く大きな音が聞えた。彼が答えるのも待たず、なにか腕いっぱいに抱えこんだヴェラが部屋にとびこむと、いきなり云った。

「これ、ここにおかせて下さらない？」

これなるものは、小さな黒豚と、元気旺盛《おうせい》そうな、黒と赤のまじったシャモなのである。

ラティマーは過不足なく動物を愛していて、経済的見地から飼育された小家畜には、特に関心をもっていた。現に、その時研究していたパンフレットの中にも、わが国の農村地方における、養豚及び養鶏産業の、より高き発展を熱心に鼓吹したものもあった。しかし、当然のことながら、いくら広いとはいえ、鶏舎や豚舎の生産物の見本と、寝室を共にするのは、あまりゾッとしなかったのである。

「どこか外においてやった方が、喜びやしませんかね」と彼は云ったが、この問題における自分の好みを、動物どもに対する表面の心配りで、如才なく表現したつもりであった。

「その外がなくなりましたの」とヴェラは思入れたっぷりに云った。「ただ、黒い、渦をまいている水だけ。ブリンクリーの溜池《ためいけ》があふれたんです」

「ブリンクリーに溜池があったとは知りませんでしたね」とラティマーは云った。

「ええ、今はもうありませんわ。この土地がすっかり溜池になったんですもの。ここは特に低かったものですから、今のところ、わたくしたちのいるところが、内海《うちうみ》の中心になっていますの。河も堤防からあふれましたわ」

「そりゃ大変だ！　死んだ人がありますか」

「たいした数ですわ。撞球室《どうきゅうしつ》の窓の外を流れて通った死骸《しがい》で、女中の知っている人のが、もう三つもあったって云ってますわ。その人、女中が婚約した相手だったからわかったんですって。その女中は、この辺のいろんな人と婚約しているか、死骸をみて、その人だといい加減にきめてしまったか、どっちかですわね。でも、同じ死骸が渦にまかれて、幾度も幾度もまわって来たのかもしれませんわね。わたくし、そのことを考えなかったわ」

「でも、われわれは救難作業に出るべきじゃないでしょうかね」とラティマーは云ったが、それはこの地方で、折あらば名前を売っておこうという、代議士候補者の本能からであった。

「そんなことできるもんですか」とヴェラははっきり云った。「わたくしたち、怒り狂った河みたいな流れで、どこからも断ち切られているのに、ボート一そうないんですもの。伯母は、殊《こと》にあなたは、お部屋にじっとしてらして、この上面倒をかけないで下さるように、でも、シャモの『ハートルプールの奇蹟《きせき》』を、今晩だけあずかって下さると、とても有難いって云ってますの。ほかにもシャモが八羽もいるでしょう、そして、一緒にしておくと、めちゃくちゃに喧嘩《けんか》してしようがないものですから、みんなの寝室に一羽ずつ入れることにしましたの。だって、鶏小舎《ごや》もすっかり流されたんですもの。それから、この仔豚《こぶた》もあずかって下さいますわね。これ、とても可愛《かわい》いんですけど、いやな性質を持ってましてね。母親ゆずりですわ——その母親は、かわいそうに、小舎で溺《おぼ》れ死んだんですから、なにもわたくし、わるく云いたかないんですけどね。この仔豚ったら、いつも人間の力強い手で、ちゃんとしっかり抱いていてもらいたいんですの。わたくしが抱いといてやろうと思うんですけど、ただ、わたくしのお部屋にはシナ犬を入れてるでしょう、そして、このシナ犬ってのが、豚となると、とところきらわずかかって行くんですもの」

「豚を浴室に入れるわけにはいきませんかね」とラティマーはよわよわしくたずねたが、心の中では寝室の豚の問題では、自分もシナ犬みたいなはっきりした態度をとれないものかと思った。

「浴室？」とヴェラはかん高い声で笑った。「お湯さえ切れなければ、浴室は朝までボーイ・スカウトで満員ですわ」

「ボーイ・スカウトって？」

「ええ、三十人でわたくしたちを助けに来ましたの、水がまだ腰までぐらいの時にね。ところが、そのうちに水がそれから三フィートばかりも増したものですから、今度は、わたくしたちの方で、ボーイ・スカウトを助けてやらなくちゃならなくなりましたの。それで、組分けしてお湯に入れたり、乾燥棚で服をかわかしてやったりしたんですけど、もちろん、ずぶ濡れの服がすぐ乾くはずもありませんし、廊下も階段も、ちょいとしたテュークの海辺風景みたいになりはじめてますわ。そのうちの二人は、あなたのメルトンの外套《がいとう》を着てますわ、気にはなさらないと思いますけど」

「あれは新調ですよ」とラティマーは、非常に気にしていることを、はっきり示して云った。

「『ハートルプールの奇蹟』には、よく気をつけてやって下さいな」とヴェラは云った。「あれの母親はバーミンガムで一等賞を三度もとりましたし、あれも去年グロスターの品評会で、一年雛《びな》の二等賞をとったんですから、多分、あなたのベッドの足の方の手摺《てすり》にとまって眠ると思いますわ。わたくし、あれのお嫁さんを何羽かここへつれて来て、一緒においてやったら、もっと居心地がよくなるんじゃないかと思うんですけど。牝鶏《めんどり》はみんな食器室に入れてありますの。『ハートルプール・ヘレン』をつれて来ようかしら。この牝鶏が、あれのお気に入りなんですのよ」

ラティマーは『ハートルプール・ヘレン』に関しては、おそまきながら、断乎《だんこ》たる態度を示した。ヴェラはそのことは無理強いもせず、まずシャモを仮の棲《とま》り木に落ちつかせ、それから仔豚に愛情こめた別れをつげて出て行った。ラティマーは着物をぬいで、大急ぎでベッドにはいった。あかりを消したら、うるさくゴソゴソやっている豚も、静かにするだろうと思ったからだった。居心地のいい、藁《わら》をしいた小舎の代用品としては、ちょっと見たところ、この部屋にはたいして心惹《ひ》かれるものはなかった。しかし、不平満々たるこの豚は、突然、どんな豪奢《ごうしゃ》に設計された豚小舎にも決してない、ある仕掛を発見した。ベッドの下部の鋭い角が、ちょうどうまい高さのところで斜めに突出ているので、仔豚は至極気持よさそうに、それでからだを前後にこすり、絶頂に達した瞬間には、すこぶる優雅に背を曲げ、それにブウブウといつまでも嬉《うれ》しそうな伴奏をつけるのである。松の木の枝で揺られているとでも思っているらしいシャモは、ラティマーよりもずっと辛抱づよく、豚の運動を我慢していた。豚のからだをいくつか叩いてみたが、これは行為に対する非難とか、止めるようにとの合図とは受取られず、より一そうの、こころよい刺激剤として受取られた。なんとか処置するには、人間の力強い手以上のものが、あきらかに必要であった。ラティマーはやめさせる武器を探そうと、そっとベッドから出た。部屋はいくらか明るかったので、豚はさっそくこの動きを察知し、溺れ死んだ母親から遺伝した、いやな性質をフルに発揮しはじめた。ラティマーがベッドに逃げこむと、意気揚々たる征服者は、脅かすように二三度鼻をならし、顎《あご》を嚙《か》みあわせておいてから、また新たなる情熱をこめて、磨擦運動にとりかかった。それから朝までの眠られぬながい時間、ラティマーは、現在の窮境を、恋人と死に別れた例の女中のことを考えて過そうとしたが、自分のメルトンの外套を、いったい幾人のボーイ・スカウトが着ているのだろうと、その方が余計に心配になった。心にもなき聖マルチンの役柄は、彼には魅力はなかった。

明け方近くになると、仔豚は満ちたりた眠りにおち、ラティマーもその後を追えそうだったのだが、それとほとんど同時に「不死身のハートルプール」が高らかに刻《とき》をつくったと思うと、バタバタと床にとびおり、たちまち、衣装だんすの鏡にうつった自分の影と、はげしい闘いをはじめた。このシャモは、ともかく自分が世話を頼まれているのだと思いかえして、ラティマーは、ハーグの国際裁判所の役をひきうけ、喧嘩相手の鏡にバスタオルをかけたが、それによって得られた平和も、局部的一時的なものにすぎなかった。はぐらかされたシャモの精力は、突如として、新しい捌《は》け口を見出《みいだ》し、眠っているので、せっかく今のところおとなしくしている豚に攻撃を加えはじめた。つづいて起った争闘は、いかなる仲裁の可能性をも超えた、死物ぐるいのはげしいものであった。翼をもったシャモの方は、窮地におちいると、ベッドの上に避難して、この地の利を自由に利用する便宜があった。豚は同じ高さまでとびあがることはどうしてもできなかったが、それかといって、その努力をやめるわけではなかった。

いずれの側も決定的な勝利を獲得することができず、闘争が事実上膠着《こうちゃく》状態になっていた時、女中が朝のお茶をもってあらわれた。

「まあ」と彼女は驚きをあからさまに現わして叫んだ。「こんな豚やシャモをお部屋においておくのを、旦那《だんな》さまはお好きなんでございますか」

好き？

仔豚は、長居は無用だといわんばかりに戸口からさっさと出て行き、シャモはいっそう堂々たる足どりで、その後を追った。

「ヴェラお嬢さまの犬が豚を見つけでもしたら——！」と女中は叫んで、そんな破局を回避するために、急いで出て行った。

冷たい疑惑の念が、ラティマーの心に忍びこんだ。彼は窓際《まどぎわ》に行って、鎧戸《よろいど》をあげた。あかるい、こまかい雨が降ってはいたが、洪水のあとかたすらなかった。

三十分ばかり後、彼は朝食の食堂へ行く途中、ヴェラに会った。

「あなたを故意の嘘《うそ》つきと思いたくはありませんがね」と彼はひややかに云った。

「でも、時には、人間は好まないこともしなきゃならないことがあるものでね」

「でも、ともかくわたくし、一晩じゅうあなたの心を政治のことから離しておきましたわ」とヴェラは云った。

そして、もちろん、これは完全に事実であった。

マルメロの木

The Quince Tree

「わたくし、いまベッツィー・マレンおばさんに会って来ましたわ」とヴェラは伯母のビバリー・カンブル夫人に云《い》った。「家賃がはらえないで困ってるようですわ。十五週間分もたまっているし、お金がはいって来る当てもないんですって」

「ベッツィー・マレンが家賃に困ってるのは、今にはじまったことじゃありませんよ。おまけにみんなが助けてやればやるだけ、向うじゃ平気なんだからね」と伯母は云った。

「わたしはもう金輪際助けてはやらないよ。ほんとうなら、もっと小さい、家賃の安い家に引越さなきゃならないんだよ。村の向う端には、いま払っている家賃、というよりは、払っていると仮定しての家賃の半分の家が、いくらもあるんだからね。わたしは、一年も前から、引越すのが当り前だって云っているんだよ」

「でも、どこに行ったたって、ほかじゃあんな立派なお庭はついていませんわ」とヴェラは反対した。「それに、庭の隅には、あんな見事なマルメロの木があるんですもの。教区じゅう探したって、あんなマルメロの木ってありゃしませんわ。それだのに、おばさんはマルメロ・ジャムを作らないんですよ。マルメロの木がありながら、マルメロ・ジャムを作らないっていうのは、非常な性格の強さを示すものだと思いますわ。ええ、あのお庭と別れて引越すなんて、おばさんにはできっこありませんわ」

「人間は十六歳ぐらいの時は」とビバリー・カンブル夫人は厳しい調子で云った。「単に気にそまないだけのことを、できっこないなんて云うものだよ。ベッツィー・マレンがもっと小さい家に引越すことは、できるどころか、かえっていいことなんだよ。家具だって、あんな大きな家に入れるだけは持っていないんだからね」

「値打ちからいえば」とすこし間《ま》をおいてヴェラが云った。「ベッツィーの家には、この何マイルじゅうのどの家よりも、値打ちのあるものがあるんですよ」

「なにを云ってるの」と伯母は云った。「古い陶器なんか、とっくの昔に、みんな手放してるんだよ」

「わたくし、ベッツィーの持物のことを云ってるんじゃありませんの」とヴェラは、はずまない調子で云った。「でも、もちろん、伯母さんはわたくしの知ってることを御存じないんですから、お話しちゃいけないと思いますわ」

「すぐに話さなきゃいけないよ」と伯母は叫んだ。今まで退屈して眠そうにしていたテリヤが、眼前の鼠《ねずみ》狩りの期待に、突然生き生きして来るように、彼女の意識は、一足とびに生気をおびて来た。

「わたくし、このことは絶対にお話しちゃいけないと思いますわ」とヴェラは云った。

「でも、わたくし、しちゃいけないことをすることがよくありますわ」

「わたしだって、しちゃいけないことをなさいなんて、云うような人間じゃないけど――」とビバリー・カンブル夫人は思わせぶりに云った。

「わたくしはまた、そんな人の前に出ると、いつも弱くなるんですの。ですから、しちゃいけないことなんですけど、お話しますわ」

ビバリー・カンブル夫人は、至極もっともながら、ひどく癇《かん》にさわったが、それを心の奥におしやって、じれったそうにたずねた。

「いったいベッツィー・マレンの家になにがあるといって、あんたまでそんな大騒ぎしているの?」

「わたくしだけが大騒ぎしているって云っちゃ公平じゃありませんわ。わたくし、この事件を口に出すのは、これがはじめてなんですけど、これにはいろんな騒ぎや、秘密や、新聞の想像説などがありましたわ。新聞には根もない記事が載るし、警官や探偵が、国内でも国外でも、世界中を探しまわっているというのに、あの罪もなさそうな小さな家が、その秘密をかくしていると思うと、面白い気がしますわ」

「まさか、あのルーブルの絵、ほら、なんとかいった、笑っている女の絵、二年前になくなったっていう、あれのことを云ってるんじゃないだろうね」と伯母は、しだいに興奮しながら叫んだ。

「いえ、あれじゃありませんわ。でも、同じくらい大へんな、そして、不思議な——いずれかといえば、もっと世間ていのわるい事件ですわ」

「じゃ、ダブリン——?」

ヴェラはうなずいた。

「あれが、なにもかもすっかり」

「ベッツィーの家に？　まさか！」

「もちろん、あれがなんだか、ベッツィーはぜんぜん知りませんの」とヴェラは云った。「知ってるのは、あれが値打ちのあるものだっていうことと、そのことはそっとしとかなければならないということだけ。わたくしも、あれが何か、どうしてあの家にあるのか、ふとしたことから知りましたの。あれを持っていた人たちが、どこか安全なところに片付ける方法はないかと考えあぐんでいる時、そのうちの一人が自動車でこの村を通りかかって、あのこぢんまりした一軒家を見つけ、これこそうってつけの隠し場所だと思ったのです。ランパー夫人がベッツィーと話をつけて、こっそりあれを持ちこんだんですわ」

「ランパー夫人が？」

「ええ、あの人、しょっちゅうこの辺の巡回訪問をしてるんですもの」

「そりゃわたしだって、あの人があまり暮し向きのよくない人の家に、石鹼《せっけん》だとか、フランネルだとか、教育的な印刷物だとかを持ってってるのは知ってるけど」とビバリー・カンブル夫人は云った。「それと、盗んだ品物を片付けるのとはことがちがうし、あの人だって、あの品物の来歴ぐらいは知ってるはずだよ。新聞を読むほどの人なら、どんなにうっかりしてたって、あの盗難事件のことは記憶にあるはずだし、品物だって、ひとめ見てわからないものじゃないしね。ランパー夫人といえば、昔からとても実直な女で通ってるんだからね」

「もちろん、あの人のうしろに誰かまだほかの人がいるんですわ」とヴェラは云った。

「この事件の面白いところは、ちゃんとした人がとてもたくさん、ほかの人をかばおうとして、事件の網の目にまきこまれていることですの、一人一人の名をお聞きになったら、伯母さんだってほんとにびっくりなさるわ。それだのに、その人たちは、誰がほんとの犯人なのか、誰も知らないんだと思いますわ。あの家の秘密をうちあけて、わたくし、とうとう伯母さんを、いざこざの中にまきこんでしまいましたわねえ」

「まきこまれなんかしませんよ」とビバリー・カンブル夫人は憤然として云った。

「わたしは誰だって、人をかばうつもりなんかないんだからね。すぐ警察にしらせますよ。誰がかかりあいになっていようと、盗人《ぬすっと》は盗人だよ。ちゃんとした人だって、盗んだ品物を受取ったり始末したりすれば、もうその人はちゃんとした人とは云えなくなってるんだよ。わたし、すぐ電話をかけて――」

「まあ、伯母さん」とヴェラは云った。「もしカスバートがこんな外聞のわるい事件にまきこまれたら、かわいそうに、キャノンは悲しみで死んでしまいますわ。ねえ、そうでしょう」

「カスバートがまきこまれるって！　みんなあの人のことを、どんなに気にかけているか知ってるくせに、よくもそんなことが云えたものね」

「そりゃわたくしだって、伯母さんがあの人のことばっかり考えてらっしゃることも、あの人がビアトリスと婚約してることも、二人がとっても似合いの夫婦だってことも、あの人がビアトリスの御主人として、伯母さんの理想だってことも知ってますわ。それにしても、品物をあの家に隠そうと考えたのはカスバートですし、運んだのはあの人の自動車なんですもの。あの人、友だちのペギンスン、ごぞんじでしょう——クエーカー教徒で、いつも海軍縮小運動をしてる、あの人を助けるためになさっただけですの。なんでそんなことにかかりあいになったのか、わたくし、忘れましたわ。この事件には、ちゃんとした人が、たくさんまきこまれているって、はじめから云っといたでしょう。ベッツィーがあの家から引越すわけにはいかないって、わたくしが云ったのは、そんな意味なんですの。品物はかなり嵩《かさ》ばったものですから、ほかの荷物と一緒に運んでたら、どうしても人目につきますわ。いうまでもなく、ベッツィーが病気になって死にでもしたら、やっぱり大変なことになりますわ。ベッツィーのお母さんというのは、九十以上も生きていたんですって、ベッツィーが話してましたわ、ですから、ちゃんと世話してやって、心配事でもなくしてやれば、まだ十年やそこら生きていますわ。その頃までには、またあの品物を片付ける段取りになると思いますの」

「そのことは、カスバートにはまたいつか話しましょう——結婚式でもすんだら」とビバリー・カンブル夫人は云った。

⁂

「結婚式は来年までは大丈夫」とヴェラは、仲良しの友だちに、この話をして云った。「その間、ベッツィーは家賃はただだし、週に二回はスープを飲ましてもらえるし、ほんの頭痛がするといっても、伯母のお医者さまが駆けつけることになってるのよ」

「でも、その事件のこと、あんた、いったいどうして知ったの」と友だちは、感嘆のまなざしでたずねた。

「それは秘密よ――」

「秘密はわかってるわよ。だから、みんなとまどいしてるんじゃないの。第一、あたし、わからないのは、どうしてあんたが、その――」

「ああ、宝石のこと？　そこはあたしの創作なのよ」とヴェラは云った。「あたしが秘密といったのは、ベッツィーの溜《たま》った家賃が、どこから出るかということなの。だって、ベッツィーはあの見事なマルメロの木と別れるのは、きっと悲しいだろうと思うんですもの」

親米家

On Approval

ソーホーのアウル通りのニューレンベルグ料理店に集まる、自称ボヘミアン仲間に、ときどき迷いこんで来る生粋のボヘミアンの中で、ゲプハルト・クノプフシュランクほど興味あり、捕えどころのない男はなかった。彼には友だちがなかった。この料理店の常連をすべて知人として取扱ってはいたものの、その交際を、アウル通り及び外界へと通ずるドアの向うでまでつづける気持はないように見うけられた。その交際ぶりは、いうなれば、市場の物売女が、行きずりの客と応待し、商品を見せ、天気とか不景気の話とか、時にはリュウマチの話とかはするが、相手の日常生活にくちばしを入れたり、彼らの野心を根掘り葉掘り聞いたりしたがる様子は決して見せないというほどのものだった。

彼がポメラニアのどこかの百姓の子だとはわかっていた。二年ほど前、判明しているところによると、豚の世話をしたり、鵞鳥《がちょう》を飼ったりする労働と責任を放棄し、画家として一旗あげようとロンドンへ来たのであった。

「パリやミュンヘンに行かずに、なぜロンドンへ来たんだい」と彼はせんさく好きなやつから聞かれたものだった。

シュトルプミュンデからロンドンに向って、客船ではないが、安く乗せてくれる船が、月に二回出帆した。ミュンヘンやパリに行く汽車賃は安くないのだ。こうした理由で、彼は大冒険の舞台として、ロンドンを選ぶことになったのである。

この鵞鳥飼いの移住者が、赫々《かくかく》たる光明へと翼をひろげた、魂をゆるがすような天才なのか、それとも、自分で画《え》が描けると妄想し、無理もないことではあるが、ライ麦パンの食事と、ポメラニアの砂っぽい、豚だらけな平原の単調さから逃げ出したくなった、単なる冒険好きの若者なのかというのが、ニューレンベルグの常連の間で、ながい間、ひとかたならず問題にされた疑問であった。疑惑と警戒を抱く、もっともな根拠はあったのである。このささやかな料理店に集まる芸術家の群には、自分では音楽、詩、画、演劇などの分野において、世のつねならぬ才能を恵まれていると仮定しているくせに、その仮定を証明するものはほとんど、あるいは全然ないという、髪のみじかい若い女や、髪のながい若い男がたくさんいたので、彼らの仲間にはいって来る、あらゆる種類の自称天才は、必然的に怪まれるのである。一方において、それとは知らず、天才と交際しながら、鼻の先であしらう危険が、つねに眼の前にあるわけであった。現に劇詩人スレドンティという悲しむべき実例があった。この男はアウル通りの判定においては、軽視され冷遇されていたのだが、後にはコンスタンチン・コンスタンチノヴィッチ太公――シルヴィア・ストラブルによれば、「ロマノフ家では最も教養のある人物」なのだが、このシルヴィア・ストラブルなる女性は、ロシア皇室のことなら、一人として知らないものはないといった口振りのくせに、実をいうと、ボルシチを自分の発明でもあるような態度で食う、若い新聞通信員を一人知っていただけのことなのである――によって、詩の巨匠と称《たた》えられたものだった。スレドンティの『死と情熱の詩』は、現在、ヨーロッパの七カ国語で、数千部を売りつくされ、シリア語にまで翻訳されようとしている。こうなると、ニューレンベルグの慧眼《けいがん》なる批評家も、将来の判断をあまりに怱卒《そうそつ》にくだして、後悔先に立たぬことに忸怩《じくじ》としたものであった。

クノプフシュランクの作品については、審査し評価する機会にはことかかなかった。料理店仲間の社交生活からは、断乎《だんこ》として超越してはいたものの、彼は自分の作品を仲間の好奇的な視線から隠そうとはしなかった。毎晩、というよりほとんど毎晩、七時頃になると彼は姿をあらわし、きまったテーブルにつき、ふくらんだ黒の紙挟《かみばさ》みを向側の椅子《いす》に投げ出し、まんべんなく仲間の客に眼で挨拶《あいさつ》し、やがて食事をはじめるのだった。そして、コーヒーになると、やおら煙草《たばこ》に火をつけ、紙挟みを引きよせ、その中のものをガサガサ探しはじめる。それからゆっくりと慎重に、そこばくの最近の作品を選び出し、新顔の客でもいると、それには特別の注意をはらいながら、黙ってその絵をテーブルからテーブルへと廻わすのである。絵の裏には一枚一枚、読みやすい字で「定価十シリング」と書いてあった。

彼の作品には天才の刻印が麗々しく捺《お》されていなかったにしろ、とにかく、世のつねならぬ、しかも不変のテーマの選び方には非凡なものがあった。彼の絵には、つねに、荒廃に帰し、人跡の絶えた、ロンドンのある有名な街とか公共の場所とかが描かれ、そこには、その異国的な種類の豊富なところから見ると、もとは動物園か巡業動物園から逃げ出したと思われる野獣がさまよっているのであった。『トラファルガー広場の噴水で水を飲むジラフ』は彼の作品でも、最も注目すべき特異のものの一つであるし、『アッパー・バークリー通りにおいてラクダの死骸《しがい》を啄《ついば》むハゲタカ』という鬼気膚《はだ》にせまる絵は、もっと戦慄《せんりつ》的なものであった。また、彼が数カ月間それにかかりきり、現在、投機的な画商か、やまけのある素人《しろうと》美術愛好家に売りつけようと努力している、じつに写実的な大きな絵があった。『ユーストン停車場に眠るハイエナ』という題であったが、底知れぬ荒涼さを感じさせることにおいては、もはや一点の非のうちどころもない作品であった。

「もちろん、非常にいい絵かもしれませんし、また、美術界における劃期《かっき》的なものかもしれません」とシルヴィア・ストラブルは、彼女の取巻き連中に向って云《い》った。「でも、一方からいえば、あるいは単なる気狂《きちが》い沙汰《ざた》かもしれません。この場合、商業的な見方に、あまり片よりすぎるのは、もちろんいけないことですけど、あのハイエナの絵とか、スケッチの一枚でもいいから、もしどこかの画商が値をつけたとすれば、あの人と作品の評価の仕方も、もっとよくわかるんですけどね」

「いつかそのうちには」とヌガー＝ジョンズ夫人は云った。「あの人の紙挟みをそっくり買わなかったことで、わたしたち後悔するかもしれませんよ。とはいうものの、ほんとに才能のある人がうようよしているというのに、妙な気まぐれな絵らしいものに、十シリング投げ出す気にはなりませんものね。前週見せてくれた『アルバート・ホールにとまるライチョウ』はとても印象的でしたし、もちろん、立派な技巧と、扱い方の奔放さがあることは認めます。でも、わたしにはちっともアルバート・ホールらしく見えないし、ジェイムズ・ビンクエスト卿《きょう》から聞いたんですけど、ライチョウって棲《とま》るものじゃなくて、地面に寝るんですって」

このポメラニア出身の画家が、いかなる才能や稟質《ひんしつ》をもっていたにしろ、画商仲間から認められなかったことは確かであった。紙挟みは相かわらず、売れないスケッチでふくらんでいたし、ニューレンベルグの頓智家《とんちか》が、例の大きな絵に綽名《あだな》をつけた『ユーストンの昼寝』は、まだ売物に出ていた。経済的窮迫の外的徴候が、人の眼にもつきはじめた。食事の時の、安白葡萄酒《ぶどうしゅ》の半本が、ビールの小さなコップに下落し、これもやがて水とかわった。一シリング六ペンスの定食は、毎日の食卓から姿を消して、日曜日だけの御馳走《ごちそう》になった。普通の日は、七ペンスのオムレツとパンとチーズだけで我慢し、ぜんぜん姿をみせない晩さえあった。たまに自分のことを話す時など、ポメラニアのことを余計に話して、偉大なる美術界のことは、あまり話さなくなりはじめたことに、みんなは気づいた。

「いまは忙しい時なんだよ」と彼ははるかなる故国を思うがごとくに云った。「刈取りのすんだ畑に、豚を出して、番をしてなきゃならないんだよ。ぼくも故郷《くに》にいたら、手伝いができるんだがなあ。こっちは暮しがたいへんだよ。芸術は認められないからね」

「なぜ故郷《くに》に帰ってみないんだい」と一人がわざとたずねた。

「うん、金がかかるんだよ！　シュトルプミュンデまで船で行かなきゃならないし、下宿には借りがあるしね。この店にだって、すこしばかり借りがあるんだよ。スケッチがいくらかでも売れさえしたら――」

「もすこし安くしてくれれば」とヌガー＝ジョンズ夫人が云った。「わたしたちのうちでも、喜んで買う人もあるんでしょうけどね。十シリングとなると、お金がありあまっているほどじゃない人は、ちょいと二の足を踏みますよ。六シリングか七シリングなら――」

百姓はいつまでたっても百姓だ。商売になるという気配だけで、この芸術家の眼には、持って生れた抜け目なさが、ちらりと浮び、口のあたりの皺《しわ》が固くなった。

「一枚九シリング九ペンスまでまけましょう」と彼はぴしゃりと云ったが、ヌガー＝ジョンズ夫人がそれ以上この問題を追求しなかったのが不満らしかった。彼は彼女が七シリング四ペンスは出すものと、あきらかに予期していたのであった。

月日は矢のようにすぎ、クノプフシュランクがアウル通りの料理店に顔をみせることは、ますます稀《まれ》になり、また顔をみせたにしても、この時の食物は、ますます乏しいものになった。ところが、やがて勝利の日が到来した。彼はその晩、意気揚々とはやくから姿をあらわし、ほとんど饗宴《きょうえん》かとみまがう、凝った食事を注文した。調理場の平常の材料に、船来の燻製《くんせい》鵞鳥胸肉や、コンヴェントリー通りの調製食料品店で、うまく行きあわせると手に入れることができるポメラニアの珍味が補充され、頸《くび》のながいライン葡萄酒の罎《びん》が、この饗宴の画竜点睛《がりようてんせい》ともなり、満堂の客たちへの乾盃《かんぱい》ともなった。

「たしかに絵が売れたのよ」とシルヴィア・ストラブルが遅れて来たヌガー＝ジョンズ夫人に小声で云った。

「誰が買ったの？」と彼女も小声でたずねた。

「わからないの。あの人、まだなんとも云わないんだけど、きっとアメリカ人よ。ほら、デザートの皿に小さなアメリカの旗を立ててるでしょう。それに、もう三度も楽団にチップをやったわ。一度は『星 条 旗《スター・スパングルド・バナー》』そのつぎはスーザのマーチ、それからまた『星条旗』を演奏させたのよ。きっとアメリカの百万長者に、とても高い値で売りつけたにちがいないわ。いい気持そうにニコニコしてるじゃないの」

「誰が買ったのか、きいてみましょうよ」

「シッ、だめよ！　それより、あの人が有名になったことを、わたしたちが知っているとけどられないうちに、はやく、あの人の絵を買いましょうよ。でないと、値段を倍にするわ。わたしだって、あの人がやっとのことで世の中に出たのは嬉《うれ》しいのよ。

だって、前から、わたし、あの人を信じていたんですものね」

一枚十シリングの値段で、ストラブル嬢はアッパー・バークリーの街で死にかかったラクダの絵と、トラファルガー広場で渇を癒《いや》しているジラフの絵を手に入れ、同じ値段で、ヌガー＝ジョンズ夫人は棲《とま》っているライチョウの絵を手に入れた。もっと野心的な作『アシニアム・クラブの玄関にて闘うオオカミとオオジカ』は十五シリングで買手がついた。

「ところで、これから先の御計画は？」と、ある美術週刊誌に、ときどき寄稿している青年がたずねた。

「船便のあり次第、すぐシュトルプミュンデに帰るよ」とこの画家は云った。「そして、もう帰って来ないよ、決して」

「でも、お仕事の方は？　画家として生活は？」

「そんなものはくだらないよ。飢え死にするからね。今日まで誰一人ぼくの絵を買ってくれるものはなかった。今夜は、ぼくがみんなと別れるというんで、すこしばかり買ってくれたがね、ほかの時は、一枚だって」

「でも、アメリカ人が――」

「ああ、あの金持のアメリカ人か」と彼はクスリと笑いながら云った。「ありがたいことさ。故郷《くに》で豚を畑に出そうとしているとね、アメリカ人がその豚の群に自動車を突込んだんだよ。とてもいい豚がたくさん殺されたがね、アメリカ人は損害をすっかり弁償してくれたよ。ほんとの値段よりうんとたくさん、ひと月も肥《ふと》らせて市場で売る値段の何倍も払ってくれたんだが、なにしろ、アメリカ人は大至急ダンチヒへ行くところだったんでね。急いでいる時には、相手の云いなりに払わなきゃならないよ。いつも急いでどこかへ行こうとしている金持のアメリカ人がいるってことは、ありがたいことさ。おかげで、ぼくの親父《おやじ》もおふくろも、今じゃ大金持だ。借金を払って、帰るだけの金を送ってくれたんだよ。月曜日にはシュトルプミュンデへたって、もう帰って来ないよ、決して」

「でも、あのハイエナの絵は？」

「くだらない。大きすぎて、シュトルプミュンデくんだりまで持って行けるものじゃない、焼いてしまったよ」

そのうちには、忘れ去られるだろうが、現在のところ、ソーホーのアウル通りのニューレンベルグ料理店に集る常連のあるものにとって、クノプフシュランクはスレドンティの場合に劣らぬ痛恨事なのである。

十三人目

The Baker's Dozen

人物

リチャード・ダンバートン少佐
エミリー・カリュー夫人
ペイリー＝パジェット夫人

場面

——アメリカ行汽船の甲板。ダンバートン少佐が甲板椅子《デッキ・チエア》に腰かけている。傍にも一つ、「カリュー夫人」と名前を書いた椅子《いす》があり、近くに椅子もう一脚。

（上手よりカリュー夫人登場、ゆったりと自分の椅子に腰をおろす。少佐は知らないふりをしている）

少　佐　（急に振向いて）エミリー！　何年ぶりだろう！　これは運命だね。

エミリー　運命ですって！　そんなものじゃありませんよ。あたしのしたことなの。男って、いつでも運命論者なのね。あなたがお乗りになる船に乗るため、あたし、三週間も出発を延ばしたのよ。それからスチュワードに袖《そで》の下をつかって、あまり人の来ないところに、あたしたちの椅子を並べておかせ、今朝は今朝で、特別うつくしく見えるようにって、大骨折したのよ。それだのに、『これは運命だね』なんて。あたし、今日は特別うつくしかない？

少　佐　昔より美しいよ。月日はきみの美しさに豊満さを加えたのみだね。

エミリー　その通りおっしゃるだろうと思っていたわ。口説く時の言葉って、たいてい似たり寄ったりのものね。とにかく、いちばん嬉《うれ》しいのは、口説かれているという事実なのよ。あなた、あたしを口説いてるんでしょう？

少　佐　おおエミリー、ぼくはとっくの昔にその気でいたんだよ、きみがここに来ない前からさ。ぼくもスチュワードに袖の下をつかって、どこか人目につかないところに、ぼくらの椅子を並べておくように云《い》ったんだよ。『たしかにそう取計っておきます』っていう返事だった。それは朝食のすぐ後のことだぜ。

エミリー　男って、なんで朝食を真先きに食べたがるんでしょう。あたしなんか、船室を出るとすぐ、椅子の相談をしたのよ。

少　佐　無理を云っちゃいけないよ。きみがこの船に乗っているのを知ったのは、朝食の時なんだからね。きみを嫉《や》かせるため、はすっぱ娘にわざとチヤホヤしたものさ。今頃は、あの娘、ぼくのことを友だちにしらせるため、船室でながい手紙を書いてるぜ。

エミリー　あたしを嫉かせるためなら、なにもわざわざそんなことしなくてよかったのよ。だって、何年も前、ほかの女と結婚なすった時、お望みどおり、嫉かせてるんですもの。

少　佐　うん、きみはぼくと別れて、ほかの男と結婚したっけね――おまけに、やもめ男の後添いにさ。

エミリー　やもめ男と結婚したって、べつに悪いことはないでしょう。あたし、いつだって、またやもめ男と結婚するつもりよ、すばらしい人に会いさえしたら。

少　佐　いや、エミリー、そんな速さで走っちゃずるいよ。きみはぼくより一周勝ち越してるんだからね。今度はぼくがきみに申込む順番だよ。きみはただ『イエス』と云えばいいのさ。

エミリー　あたし、もう云ったも同様じゃないの。だから、そんなことでとやかく云うことないわ。

少佐　おお、じゃ――

（二人は顔を見合わせ、それから突然、相当つよく抱擁する）

少佐　こいつは互角の勝負だったね。（突然、たちあがって）あッ、しまった、忘れていた。

エミリー　なにを忘れてたの。

少佐　子供のことさ。当然、話しておかなくちゃいけなかったんだ。きみ、子供がいちゃいけないかい？

エミリー　大勢でなければね。何人いるの？

少佐　（急いで指で数えながら）五人だ。

エミリー　五人！

少佐　（心配そうに）多過ぎるかい。

エミリー　相当な数ね。ただ困るのは、あたしの方にも子供があることなの。

少佐　たくさんかい。

エミリー　八人。

少佐　六年間で八人！　おお、エミリー！

エミリー　あたしの子は四人だけなの。ほかの四人は先妻の子なのよ。でも、数からいえば、八人は八人だわ。

少佐　そして、八たす五は十三さ。十三人もの子供をかかえて、結婚生活をはじめるわけにはいかないよ。不幸になるよ。(興奮して行ったり来たり歩きまわる)なんとか解決法を見出《みいだ》さなくちゃならない。十二人に減らせるといいんだがな。十三ってのは、とても縁起がわるいからね。

エミリー　一人二人どこかへやる工夫ってないかしら。フランス人がもっと子供を欲しがってるじゃないの。『フィガロ』でそんな記事をよく読んだことがあるわ。

少佐　フランス人の子供を欲しがってるんじゃないかと思うね。ぼくの子はフランス語なんか話しもできないからね。

エミリー　子供たちの一人が堕落して放蕩者《ほうとうもの》になって、あなたが勘当するようにならないとも限らないじゃないの。そんな話、聞いたことがあるわ。

少佐　でも、その前にまず教育をしなければいけないよ。子供をいい学校にもやらないで、放蕩者になるようになんて、そりゃ無理だよ。

エミリー　生れつき悪い子だったっていいじゃないの。そんな子はたくさんあるのに。

少佐　そんなのは親からそんな悪質を遺伝した時だけに限るよ。まさかぼくに悪質があるなんて思ってるんじゃないだろう？

エミリー　ときどき一代飛び越すことがあるじゃないの。先祖に悪い人いなかった？

少佐　そっと触れないことになっている伯母さんがいたよ。

エミリー　そらごらんなさい！

少佐　でも、それだけのことで、とやかくは云えないよ。ヴィクトリア朝中期には、ぼくらにとっちゃなんでもないことを、言語道断なことにしていたんだからね。この伯母さんだって、たぶん、ユニテリアン教徒と結婚したとか、馬に両足またがって狐《きつね》狩りに行ったとか、そのくらいのことをしただけだろうと思うんだ。それはともかくとして、子供たちの一人が、悪かったかどうかも怪しい大伯母さんに似るのを、べんべんと待っているわけにはいかないよ。なにかほかの方法を考えなくちゃ。

エミリー　世間の人って、貰《もら》い子はしないものかしら。

少佐　子供のない夫婦が、そんなことをするってえ話は聞いたね。そして、そういう人たちは――

エミリー　しッ！　誰か来るわ。誰でしょう。

少佐　ペイリー＝パジェット夫人だ。

エミリー　ちょうどいい人が来たわ。

少　佐　え、貰い子をする？　子供はないのかい。
エミリー　みっともない女の赤ん坊が一人だけなの。
少　佐　探りを入れて見ようじゃないか。
（上手よりペイリー＝パジェット夫人登場）
ペイリー夫人　やあ、お早うございます、ペイリー＝パジェット夫人。この前お会いしたのはどこだったか、朝食の時考えてたんですよ。
ペイリー夫人　クライテリオンでじゃありませんでしたかしら。（空いた椅子に腰をおろす）
少　佐　そうそう、クライテリオンでしたね。
ペイリー夫人　わたし、スラグフォード卿《きょう》御夫妻と食事してましたわね。とてもいい方なんですけど、ひどくケチでしてね。食事の後、メンデルスゾーンの『纏《まと》わざる歌』をある舞踊家が演出するのを見に、ヴェロドロムに連れて行ってくれたんですけどね。天井に手のとどくようなせまい桟敷《さじき》に、みんなで鮨詰《すしづ》め、暑いったらありませんでしたわ。まるでトルコ風呂《ぶろ》みたい。おまけに、もちろん、なんにも見えやしませんのよ。
少　佐　じゃ、トルコ風呂みたいじゃありませんな。
ペイリー夫人　まあ、少佐さま。

エミリー　あなたがいらした時、わたくしたち、あなたのことをお噂《うわ》さ申上げていたところでしたのよ。
ペイリー夫人　まあ！　ひどいことおっしゃってたんじゃないでしょうね。
エミリー　まあ、とんでもない！　まだ航海ははじまったばかりなのに、まさかそんなこと。あなたのことをお気の毒だと話していましたのよ。
ペイリー夫人　わたしが気の毒って？　それはまたなぜでしょう。
少　佐　あなたのお子さまのない御家庭のことや、そんなことですよ。パタパタ走るかわいい足がね。
ペイリー夫人　少佐さま！　なんでそんなことをおっしゃるのです。わたくしには小さい娘がございますよ、たぶんご存じでしょうけど。娘の足だって、よそのお子さまと同じに、パタパタ走れるんでございますからね。
少　佐　二本の足っきりでしょう。
ペイリー夫人　そうですとも。わたしの子供はムカデじゃありませんからね。ちゃんとした住む家もない、おそろしい密林の駐屯地を、あちらこちらと移動させられることを思えば、わたしなんか子供のない家庭を持っているというよりは、家庭のない子供を持ってるんだと思いますわ。いずれにしろ、御同情ありがとうございます。

善意でおっしゃったんでしょうからね。もっとも、ぶしつけになりがちなものですけど。

エミリー　奥さま、わたくしたち、ただ、あのかわいいお嬢さまが、大きくおなり遊ばした時のことを、お気の毒だとお話し申していただけなんでございますよ。遊び相手の兄弟がなくてね。

ペイリー夫人　奥さま、どう控え目に申しましても、このお話は慎しみがないようでございますわね。わたくし、結婚してまだ二年半にしかならないんでございますから、家族が少いのは当然でございましょう。

少佐　小さな女性のお子さん一人で、家族は大袈裟《おおげさ》じゃないでしょうかね。家族って云えば、たくさんという意味ですよ。

ペイリー夫人　少佐さま、なかなか面白いことをおっしゃいますわね。そりゃ、今のところ、あなたのお言葉にしたがえば、女性の子供一人しかありませんけど――

少佐　いや、いくら当てにして待ってらしても、女の子は男の子に変りゃしませんよ。ぼくたちの云うことをお信じなさい。こうした問題じゃ、ぼくたちの方があなたよりずっと経験があるんですからね。女はいつまでたっても女ですよ。自然というものは過失のないものですが、過失があったとしても、つねに自若として、それを変改しないものですよ。

ペイリー夫人　（立上りながら）ダンバートン少佐さま、こうした船は狭苦しいものですけど、これからの船旅の間、お互いに顔を合わせないですむくらいな設備はあると思いますわ。これはあなたにもお願いいたしますわ。カリューの奥様。

（ペイリー＝パジェット夫人下手より退場）

少　佐　なんて不人情な母親だろう！（どっかりと椅子に腰をおとす）

エミリー　あんな癇癪《かんしやく》持ちの人に、子供をまかせる気にはならないわ。ああ、あんたはなんでまたそんなにたくさん子供をこさえたの。いつもあたしのことを、ぼくの子供の母親になってくれって、云ってたくせに。

少　佐　きみがほかのところで家族をつくり育てているというのに、待っている気にならなかったからさ。きみだって、切手みたいに子供を蒐集《しゆうしゆう》しないで、自分の子供だけで満足できなかったか、わけがわからないね。四人も子供のある男と結婚するなんて！

エミリー　ところが、あなたは五人も子供のある男と結婚しろと云ってるのよ。

少　佐　五人！（とびあがって）ぼく、五人と云ったかい。

エミリー　たしかに五人と云ったわ。

少　佐　おお、エミリー、こりゃ勘定ちがいしたらしいぜ！　さあ、一緒に勘定してくれたまえ。リチャード——もちろん、これはぼくの名をとってつけたんだ。

エミリー　一人。

少　佐　アルバート＝ヴィクター——これは戴冠式《たいかんしき》の年に生れたんだね。

エミリー　二人！

少　佐　モード。この子の名は——

エミリー　誰の名をとってつけたって、そんなこと構やしなくてよ。三人！

少　佐　それから、ジェラルド。

エミリー　四人！

少　佐　それだけ。

エミリー　ほんと？

少　佐　たしかにそれっきりだよ。きっとアルバート＝ヴィクターは二人に勘定したんだね。

エミリー　リチャード！

少　佐　エミリー！

（二人は抱擁する）

家庭

Tea

ジェイムズ・カシャト＝プリンクリーは、そのうち、自分は結婚するだろうという確信をつねに持っていた。それでいながら、三十四歳の今日まで、なんらその確信を証明する行動に出たことがなかった。彼は特にそのうちの一人を、結婚の相手として選び出すわけではなく、たくさんの女性を、集団的に、そして冷静に愛し讃美《さんび》してきた。それはあたかも、ある特別の山を自分個人の所有にしたいと思うわけでなく、アルプス連峰を讃美するのに似ていた。この問題を彼がみずから進んで解決しようとしないことは、家庭内の感傷的な婦人たちの間に、相当の焦慮をわきおこした。彼の母、姉妹、同居の伯母、親しくしている年配の婦人などは、彼が家庭を持つのをぐずついているのに、はっきりと不賛成をとなえていた。彼がすこぶる無邪気に女性と冗談などを云《い》いあっていても、それは張りきった眼で見はられていた。それは運動不足のテリヤの一群が、もうそろそろ散歩に連れて行ってくれそうな人間の、ほんのちょっとした挙動にも、じっと注意している眼と同じであった。もののあわれを知る人間なら、散歩を求める犬の眼にうかぶ訴えに、とてもながく抵抗できるものではない。誰か年頃のいい娘さんと恋でもしたらという、あからさまな家族じゅうの要望を無視するほど、彼は頑迷でもなければ、家族の勢力に無関心でもなかったのだが、伯父のジュールズが死んで、ちょっとした遺産を彼に残してくれたので、それを共に享有《きょうゆう》するものを探すことは、いかにも真当なことに思われた。嫁探しは、彼自身の意志よりも、候補者提案の強制力や、世論の圧力によってつづけられた。先見の明ある親戚《しんせき》の婦人や、前述の年配の女たちの大多数は、彼の交際の範囲で、結婚を申しこんでもよさそうな、最もふさわしい女性として、ジョン・セバスタブルに眼をつけていたし、ジェイムズも、自分とジョンは、みんなからお芽出とうを浴びせられ、贈物を受け、ノルウェイか地中海岸のホテルに行き、そして結局は家庭生活にはいる、お定りの途をたどるのだろうという考えに、すこしずつ慣れて来ていた。しかし、この問題を彼女の方ではどう思っているか、それを聞き出す必要があった。家族のものも、二人の仲を、巧みに慎重に、そこまでは導いて来たが、実際の結婚申込は個人的な努力にゆだねるより仕方がなかった。

カシャト＝プリンクリーは、一応満足した気持で、ハイド・パークをセバスタブル家の方へ歩いていた。どうせ片づけなければならないことなのだから、今日これから話をきめ、肩の荷をおろすのだと思うと嬉《うれ》しかった。結婚の申込みとは、相手がジョンのようなすばらしい娘でも、いささか厄介であった。しかし、そのような予備運動をしないでは、ミノルカ島への新婚旅行も、その後の幸福な結婚生活もできないのだ。ミノルカとは滞在地として、いったいどんなところだろうと彼は想像した。心に浮ぶのは、白か黒かのミノルカ種の鶏が、そこらじゅう駆けまわっていて、いつも半ば喪に服したような島であった。行ってみれば、おそらく、決してそんなところではないだろう。ロシアに行ったことのある人が話していたが、むこうでロシア鴨《がも》を見た記憶はないそうだ。してみると、ミノルカ島にもミノルカ種の鶏など、いないかもしれない。

彼の地中海についての瞑想《めいそう》は、三十分をうつ時計の音に中断された。四時半。彼の顔が不満そうな渋面にかわった。これではちょうど午後のお茶の時刻に、セバスタブル家につく。ジョンはひくいテーブルに向って席につき、前に銀の湯沸し、クリーム壺《つぼ》、美しい陶器の茶碗《ちゃわん》などの陣をはり、お茶はうすくか濃くかとか、どれだけ、よかったら、砂糖は、ミルクは、クリームはというような、ちょっとした親しげな質問を、かわいい声で、楽しげに連発することだろう。「砂糖はひとつ? あたし、忘れちゃったわ。ミルクは入れるんでしたわね。濃すぎるようでしたら、すこしお湯をさしましょうか」

カシャト=プリンクリーは、そういうことを多くの小説で読んだことがあるし、現実の幾多の経験で、それが生活の忠実な描写であることも知っていた。幾万となき女性は、厳粛なる午後のこの時間に、優美な陶器や銀の道具を前にして坐《すわ》り、心をこめた質問をかわいい声で、楽しげに、滝のごとく流すのだ。カシャト=プリンクリーは、午後のお茶のしきたりが、徹頭徹尾きらいであった。彼の生活の信条にしたがえば、女性というものは、長椅子《ながいす》とか寝椅子にからだを横たえ、このうえもない魅力をたたえて話すとか、言葉につくしがたい思想を眼に浮べるとか、あるいは単に、ただ眺めるだけのものとして黙っているかしていて、絹のカーテンのうしろから、ヌビア人の小姓が、茶碗や珍味をのせた盆を、無言で持って来る、そして、いつまでもクリームだとか、砂糖だとか、お湯だとかおしゃべりせず、当然のこととして、無言のまま給仕をうけるべきなのだ。もしほんとに魂をその愛人の足もとに投げ出しているなら、なんでお茶が濃いのうすいのとばかり話していられるだろう。カシャト=プリンクリーは、この問題に関する自分の意見を、母に語ったことはなかった。母は一生涯、お茶の時、優美な陶器や銀器を前にして、楽しげにおしゃべりをして来たので、もし長椅子のことだの、ヌビア人の小姓のことだのを話したら、すぐに海岸で一週間保養をして来るように、せきたてることであろう。いま、めざす優雅なメイフェア・テラスへと迂回《うかい》しながら通ずる、錯雑した、狭い街を通っている時、彼はこれからお茶のテーブルに向っているジョン・セバスタブルと顔をあわせるのだ、という恐怖にとらえられた。一時的な救いが心に浮んだ。騒がしいエスキモウルト街のはずれの、狭い小さな家の一室に、遠縁にあたるローダ・エラムが住んでいて、高価な材料で帽子をつくって暮しをたてていた。その帽子はまるでパリ製かと見まがうばかりであったが、残念ながら、その代金はパリに送られるものほど高くはなかった。しかし、ローダは人生を面白いものと思い、窮迫していながら、相当楽しい日々を送っているように見えた。カシャト＝プリンクリーは彼女の部屋へ行って眼前に横たわった重要な仕事を三十分ばかり後にのばすことにきめた。訪問をおくらせれば、優美な陶器の最後の一つまで片づけられた後で、セバスタブル家に着くという段取りにできるのだ。

ローダは喜んで彼を部屋に迎え入れたが、それは仕事場と居間と台所とを兼ねた部屋らしく、非常にきちんと片づいていて、しかもそれと同時に、居心地がよかった。

「わたし、ピクニックみたいな御馳走《ごちそう》をたべてたところなのよ」と彼女は云った。

「すぐそこの罎《びん》にはキャヴィアがあるわ。わたし、もすこし切るから、そのバタつき黒パンを召上って下さいな。御自分で茶碗は持って来てね。急須《きゅうす》はあなたのうしろにあるわ。さあ、いろんなことをお話してちょうだい」

彼女はそれ以上食べ物のことは云わず、自分でも楽しそうにおしゃべりをするし、彼にも楽しく話をさせた。それと同時に、上手にバタつきパンを切り、赤コショウや薄く切ったレモンを出すのだが、たいていの女なら、生憎《あいにく》切らしたという理由と言い訳ばかり出すところなのだ。カシャト＝プリンクリーは、農林大臣が家畜伝染病発生中、答弁を求められでもするように、おびただしい質問に答える必要もなく、すばらしいお茶を満喫していた。

「ところで、なんのためにわたしのところなんかにいらしたの」とローダが突然たずねた。「あなたのおかげで好奇心だけでなく、商売本能もめざめたわ。帽子のことでいらしたんでしょう。このあいだ、遺産を相続なすったってこと聞いて、もちろん、そのお祝いに、妹さんたちに立派ないい帽子を買っておあげになるのは、うつくしいし、また望ましい話だと思ったのよ。妹さんたちはなんにもおっしゃらないでしょうけど、きっと同じように考えてらっしゃるわ。グドウッドの注文で、今のところ、わたし、忙しいには忙しいけど、わたしのような仕事をしてると、忙しいのにはなれっこなの。いつも忙しい忙しいの連続で暮してるのよ」

「帽子のことで来たんじゃないんだよ」と、彼は云った。「実をいうとなにか用があって来たわけじゃないんだ。通りがかりに、ちょっと寄って、きみに会ってみようと思っただけなのさ。でも、こうしておしゃべりをしているうちに、ちょっと重要なことが頭にうかんだんだ。もしグドウッドのことをしばらく忘れて聞いてくれるなら、そのことを話したいんだけどね」

四十分ばかりの後、ジェイムズ・カシャト＝プリンクリーは、重大なしらせを持って、家族のところへ帰った。

「ぼく、結婚の約束をしたよ」

有頂天なお祝いと自己称讃の言葉が、あらしのごとくまきおこった。

「ええ、わかっていたわ！　そうなるだろうと思っていたのよ！　ずっと前から、わたしたち、話しあっていたのよ！」

「そんなこと、あるもんですか」とカシャト＝プリンクリーは云った。「今日の昼食の時、もし誰かが、おまえはローダ・エラムに結婚を申込んで、あのひともそれを承諾するだろうなんて云ったら、ぼくはきっと笑いとばしていましたよ」

ことのロマンティックな唐突さは、ジェイムズの女家族のあらゆる忍耐づよい努力や、巧みな権謀術数の容赦なき拒否を、ある程度つぐなってくれた。彼女らの情熱を、いますぐ、ジョン・セバスタブルからローダ・エラムに移すことは、いささか困難であったが、いずれにしろ、問題とすべきはジェイムズの妻なのだし、彼の好みも情状酌量されるべき権利を、いくらかは持っているのだ。

その年の九月のある午後、ミノルカ島への新婚旅行をすませた後、カシャト＝プリンクリーは、グランチェスタ・スクエアの新居の応接間へはいって行った。ローダは優美な陶器や、ピカピカする銀器を前にして、低いテーブルについていた。そして、彼に茶碗を渡す時の彼女の声には、楽しげな調子がこもっていた。

「あなた、もっとうすいのがお好きでしたわねえ。もっとお湯をさしましょうか。いかが？」

セルノグラツの狼《おおかみ》

The Wolves of Cernogratz

「この城には、なにか古い伝説でもあるかい」とコンラッドは妹にたずねた。コンラッドはハンブルグの裕福な商人であったが、すこぶる実際的な家系のなかで、彼一人は詩人的傾向のある男であった。

グルーベル男爵《だんしゃく》夫人は、むっちりした肩をすくめた。

「こんな古い家には、いつだって伝説がついてまわっているものだわ。伝説なんてわけなく作れるものなんだから、たいして値打ちのあるものじゃないのよ。このお城には、この中で誰か死んだら、村じゅうの犬と、森じゅうの獣が、夜っぴて吠《ほ》えるって話があるの。そんな声を聞くと、あまり愉快じゃないでしょうね」

「すごくて、ロマンティックだろうな」とハンブルグの商人は云《い》った。

「とにかく、ほんとの話じゃないのよ」と男爵夫人は満足げに云った。「これを買ってから、そんなことは起らないっていう証拠があがったの。去年の春、義母《かあ》さまがなくなった時、みんなで耳をすましていたんだけど、動物の吠える声なんかしなかったわ。ただでこの城にもったいをつけようっていう、ただの話なのよ」

「その話は、奥さまのお話のようなものじゃございませんよ」と、白髪の女家庭教師のアマリーが云った。みんな振返って、びっくりして彼女をみつめた。彼女はいつも黙ってとりすましていて、食卓でも影がうすく、誰かが話しかけなければ、口をきいたことがなく、誰もわざわざ彼女と話をしようというものもなかったのである。ところが、今日は突然、舌のまわりがよくなったらしかった。じっと眼の前を見つめ、特に誰を相手にというわけでもなく、早口に、神経質に話しつづけた。

「吠え声が聞えるのは、城の中で誰が死んでもというわけではございません。セルノグラツ家のものがここで死ぬ時、臨終の前に、おちこちに狼があらわれて、森の端で吠えるのでございます。この辺の森に巣をつくっている狼は、ほんのわずかなものですけど、そんな時には、猟番の話ですと、何十頭という狼があらわれて、物蔭《ものかげ》をしのびあるき、声をそろえて吠え、お城や村やあたりの農家の犬どもが、狼の声におののき怒って、これがまた吠えたてます。そして、死んでゆく人の魂が肉体を離れる時、お庭の樹《き》が、裂けて倒れるのでございます。セルノグラツ家のものが、先祖伝来のこの城で死ぬ時は、こんなことが起るのでございます。でも、他人が死んでも、もちろん、狼も吠えはいたしませんし、樹も倒れはいたしません。ええ、そんなことが起るものですか」

この最後の言葉を口にした時の彼女の声には、挑むような、ほとんど軽蔑《けいべつ》の調子がこもっていた。栄養のよい、けばけばしいほどのみなりをした男爵夫人は、ふだんの、人目もひかぬ、分相応の地位からのさばり出て、こんな無礼きわまることを云う、みすぼらしい老女を、怒った眼つきで見すえた。

「あなたはセルノグラツ家の伝説を、ずいぶんよく知ってるらしいわね、シュミットさん」と彼女は皮肉たっぷりに云った。「あなたはなかなか学者でいらっしゃるそうですけど、専攻の学問のなかに、家の伝説まではいっているのは知りませんでしたよ」

彼女の侮辱に対する返事は、その侮辱の原因をなした、突然の発言よりも、いっそう思いがけない、驚くべきものであった。

「わたくしはセルノグラツ家のものでございますもの。ですから、この一家の伝説を知っているのでございます」

「あなたがセルノグラツ家の人ですって？　あなたが！」まさかと云った調子で、一座のものが異口同音に叫んだ。

「零落いたしまして、お子さまたちのお相手をするようになりました時、わたくし、名前を変えたのでございます。こんな名前の方が似合っていると思ったものでございますから。でも、祖父は子供の頃、このお城にたいてい住んでおりましたし、父がいつもお城の話を聞かしてくれましたので、もちろん、一家の伝説や物語をなんでも知っているのでございます。憶《おも》い出しか持っていないものは、その憶い出を特別大切にまもり、そっとしまっておくものでございますよ。こちらさまに勤めさせていただきます時、いつか御一緒に、自分の一家の古巣に参りますとは、考えもいたしませんでした。ここにだけは参りたくございませんでしたよ」

彼女が話しおわると、沈黙がおとずれた。がすぐに、男爵夫人がもっとあたりさわりのない話題へ話をむけた。しかし、後ほど老女が自分の仕事へと、静かに部屋を出ると、嘲笑《ちようしよう》と不信の渦がまきおこった。

「じつになっとらん」と男爵が、とび出た眼に、憤慨の色を浮べて云った。「わしのうちの食卓で、あんな口のきき方をするとは、なにごとだ。わしらを人間のはしくれとも思っとらん話しぶりだ。あんな話は、ひとことだって信じやせん。あれはただのシュミットで、それ以外のなにものでもありゃせん。百姓どもとセルノグラツ家のことを話していて、伝説や物語を聞き出したんだよ」

「自分にもったいをつけたいんですよ」と男爵夫人は云った。「近いうちにお払い箱になることを知ってるものですから、わたしたちの同情をひきたいんですよ。お祖父《じい》さんとは、よくも云ったものだわ!」

男爵夫人でも世間なみの数の祖父は持っていたが、自慢の種にしたことは、金輪際なかった。

「たぶん、そのお祖父さんというのは、この城で、給仕かなんかしていたのだろう」と男爵はせせら笑いながら云った。「そのくらいのところは、ほんとかも知れないな」

ハンブルグの商人はなにも云わなかった。老女が憶い出をまもると云った時、眼に涙が浮んでいたのを、彼は見たのだ——それとも、想像力のつよい性質だったので、見たと思っただけなのだろうか。

「正月のお祝いがすんだら、すぐ暇を出しますわ」と男爵夫人は云った。「それまでは忙しくて、あれがいないとやってゆけませんからね」

ところが、いずれにしろ、彼女は老女なしにやってゆかざるを得ないことになった。なぜならば、クリスマスの後のきびしい寒さのため、老女が病気になって、部屋にひきこもったからである。

「いまいましいったらありゃしませんわ」年の暮も近づいたある夜、客たちが煖炉《だんろ》をかこんでいる時、男爵夫人は云った。「うちに来てから、あの女がおもい病気にかかったなんて、記憶にありませんわ。動きまわったり、仕事もできないほどおもい病気っていう意味ですけどね。ところがどうでしょう。うちじゅうお客さまがいっぱいで、いろんな手伝いをしてもらおうという矢先きに、病気で倒れるんですからね。そりゃかわいそうだとは思いますわ、あんなに瘠《や》せしなびてるんですものねえ、でも、やはり困るには困りますわ」

「さぞお困りでらっしゃいましょうね」と銀行家の妻が同情して云った。「このひどい寒さのせいですよ、年よりにはこたえますからね。今年の寒さときたら、普通じゃございませんわ」

「この何年にも、十二月の霜で、こんなひどいのは憶《おぼ》えがありませんな」と男爵が云った。

「それに、あの女もいい年でございますからね」と男爵夫人が云った。「ずっと前に暇を出しておけばよかったと思いますわ。そうすれば、こんなことにならないうちに、出て行ってたんですものね。おや、ワピ、どうしたの？」

小さな、毛のふさふさした狆《ちん》が、突然、クッションからとびおりて、ソファの下に震えながらもぐりこんだ。と同時に、城の庭で犬どもがけたたましく吠えはじめ、遠くでほかの犬が吠えるのが聞えた。

「なんで犬が騒いでるんだろう」と男爵が云った。

たちまち、じっとすました人間の耳に、犬どもを恐怖と怒りに駆りたてた音が聞えた。高く低く、ある時は、はるか遠くかと思えば、つぎには雪原を越え、城壁のすぐ下から聞えるかと思われる、ながく尾をひいて、哀調をおびた咆吼《ほうこう》であった。凍りついた世界の、飢えた、冷たいあらゆる悲惨さ、荒野の無残な、空腹へのあらゆる怒りが、なんとも形容しがたい、打棄《うちす》てられた、耳について離れぬ節調をまじえ、その咽《むせ》ぶがごとき叫びに凝集されたかと思われた。

「狼!」と男爵が叫んだ。

その遠吠えは、怒りを爆発するごとく、突如として一斉に起り、八方から聞えるようであった。

「それもおびただしい狼の群だ」と、想像力のつよいハンブルグの商人が云った。

自分でも説明できない、ある衝動にうごかされて、男爵夫人は客をのこし、老女が残り少くなった年の幾時間かが忍び去るのを、寝てじっと見まもっている、狭い陰気な部屋へ行った。刺すような冬の夜の寒さなのに、窓は開け放してあった。腹立たしそうな声をあげて、男爵夫人は窓を閉めようと近寄った。

「開けたままにして」と老女が云った。その声はよわよわしくはあったが、男爵夫人が老女の口からは聞いたことがないほど、威圧的な力がこもっていた。

「でも、寒さで死んでしまいますよ」と男爵夫人は云った。

「どっちにしましても、死ぬんでございますよ。それに、あの声が聞きたいんでございます。狼どもはわたくし一家の死の歌をうたうために、方々から来たのでございます。来てくれて、ほんとによかった。わたくしが、なつかしいお城で死ぬ、セルノグラツ家の最後の一人ですもの。狼どももわたくしに聞かせるために来たんですよ。ほら、あんなに大きな声で叫んでいます！」

狼の叫びは静かな冬の大気にのり、ながく尾をひいた、つんざくような咽び泣きとなって、城壁のまわりを漂った。老女はやっと訪れて来た幸福の表情を顔に浮べて、寝椅子《ねいす》にもたれていた。

「出て行って下さい」と彼女は男爵夫人に云った。「わたくし、もう淋《さび》しくはございませんから。古い、偉大な家柄のものですもの」

「あの女、死ぬんじゃないかと思いますわ」と男爵夫人は、客のところへ帰ってから云った。「医者を呼ばなくちゃいけないでしょうね。それにしても、あのおそろしい声! いくらお金を出したって、あんな死の歌なんか歌ってもらいたくございませんわ」

「あの歌は、いくら金を出したって、買えるものじゃないよ」とコンラッドが云った。

「シッ! ほかの音がするが、なんだろう?」なにか裂けて倒れる音が聞えたので、男爵が云った。

それは庭で樹の倒れる音であった。

一瞬、不自然な沈黙がおそった。すると、銀行家の妻が口をきった。

「あまりお寒いので、樹が裂けるんでございますよ。それに、あんなにたくさん狼が集まるのだって、寒さのせいですわ。こんな寒い冬なんて、この何年にもないことですものね」

男爵夫人は、こんなことが起るのも寒さのせいだという意見を、熱心に支持した。そしてまた、老女に医師の手当も及ばない心臓麻痺《まひ》を起させたのも、やはり窓を開け放しておいた寒さのせいであった。しかし、新聞の記事は、いかにももっともらしかった――

「長年グルーベル男爵夫妻の尊敬すべき友なりし、アマリー・フォン・セルノグラツは、十二月二十九日、セルノグラツ城において逝去《せいきょ》せり」

おせっかい

The Interlopers

カルパチア山脈の東部支脈のある雑木林の中で、ある冬の夜、森の獣が視界に、そしてやがて小銃の射程内にはいって来るのを待ちかまえているといった風に、一人の男がじっと眼をこらし耳をすましていた。しかし、彼がその出現を厳重に見張っている獲物は、狩猟をするのに合法的であり、適当なものとして、狩猟家の一覧表に出ているようなものではなかった。ウルリッヒ・フォン・グラドウィッツは、人間の敵を求めて、暗い森の中を見まわっているのであった。

グラドウィッツの森林地は広くて、獲物が豊富であった。しかし、その周囲の狭い、けわしい傾斜をなした森は、そこに棲《す》む獣もたいしたことはなかったし、鉄砲をうつにも足場がわるかった。ところが、その地主の所有地のうちでも、ここがいちばん躍起になって警戒されていた。これは祖父の時代の有名な訴訟事件によって、隣合わせた小地主の一家の不法所有から取上げた土地であった。取上げられた一家は、判廷の判決に従わず、ながい間いくどとなく繰返される密猟騒ぎや、それに似たような事件によって、両家の間の関係は、三代にわたって、悪化するばかりであった。ウルリッヒが家長となるに及んで、隣同士の反目は個人的なものになった。世の中で、ウルリッヒが忌《い》み嫌い、不幸を願う男があるとすれば、それは喧嘩《けんか》の後継者であり、うむことなき密猟者であり、紛議の種である地境の森の侵入者であるゲオルグ・ツネイムであった。二人の間の個人的な悪意が邪魔をしなかったら、あるいはこの反目も消えるか、和解に達したかもしれない。しかし、少年の頃の彼らは、相手の血に飢え渇き、大人になると、互いに相手に不幸が訪れるようにと祈る始末であった。そして、今日のような風のつよい冬の夜、ウルリッヒは森番たちを集め、四つの足の獲物ではなく、境界を越えて行動を起しているらしい、隙《すき》をうかがっている盗人を、暗い森で見張らせているのであった。ふだんなら暴風の間は、風のあたらぬ窪地《くぼち》にじっとしているノロが、今夜は追われるように走っているし、暗いうちは、いつも眠っている獣たちの間に、なんとない不安なざわめきがあった。たしかに、森の中に不安の原因があるのだ。そして、ウルリッヒにはその場所もおよそ見当がついていた。

彼は、丘の頂上に配置して待伏せさせている見張人たちから、ひとり離れ、おいしげった下生えの中の嶮《けわ》しい斜面を、侵入者の姿と音を求めて、樹幹のあいだをすかし見たり、風の叫びや、たえまなくぶつかり合う枝の音を通して耳をすましたりしながら、遠くまで歩いて行った。今日のような荒れた夜、この暗い、さびしい場所で、見る人もなく、一対一でゲオルグ・ツネイムに出会ったら――これが彼の心に最初にうかんだ願いであった。そして、ブナの大木の幹をまわった時、求める男とぱったり顔をあわせたのである。

二人の仇敵《きゅうてき》は、ながい間無言のまま、睨《にら》みあっていた。たがいに手には鉄砲を持ち、心には憎悪《ぞうお》を抱き、そして、先《ま》ず考えるのは相手を殺すことであった。一生いだきつづけた情熱に、全力をふるわせる機会が到来したのだ。しかし、限界をもうけた文明の道徳律の下で成長した人間は、家庭や名誉を犯されないかぎり、そうやすやすと、隣人を、冷酷に、一言も口をきかず、射《う》ち殺す勇気が出せるものではない。そして、瞬間の逡巡《しゅんじゅん》から、行動にうつる前に、自然の暴力が二人を圧倒してしまった。猛《たけ》りくるう暴風の叫びに応ずるがごとく、頭上に樹《き》の裂ける音が聞えたと思うと、逃げる暇もあらばこそ、巨大なブナの樹が、轟音《ごうおん》をたてて二人の上に落ちて来た。ウルリッヒ・フォン・グラドウィッツは地面にたたきつけられていた。片手はからだの下になって感覚がなく、片手は二叉《ふたまた》になった枝に、つよくしめつけられて、ほとんど身動きもできないし、両足は、倒れかかった幹の下にはさまれていた。厚い狩猟靴のおかげで、足がぐじゃぐじゃに砕けずにすんだのだが、たとい考えたほどの重傷ではないにしても、誰かが来て助けてくれないことには、現在の位置から一歩も動けないことは、すくなくも明らかであった。倒れかかった小枝に顔を切ったので、この思わざる災難の全貌《ぜんぼう》を見てとるには、まばたきして、睫毛《まつげ》から血の滴《したた》りをふるい落さねばならなかった。普通の状態なら、手をのばせばほとんど届くぐらいの、すぐそばに、ゲオルグ・ツネイムが、生きてもがきながら、しかし、あきらかに彼と同様、樹の下で身動きもできずに横たわっていた。二人の周囲には、裂けた大枝や、折れた小枝が、あつく散りしいていた。

命が助かったという安堵《あんど》と、身動きも出来ない腹立たしさのため、敬虔《けいけん》な感謝と、はげしい呪詛《じゅそ》との妙な混合が、ウルリッヒの口から洩《も》れた。眼にしたたり落ちる血のため、ほとんど眼の見えないゲオルグは、ちょっともがくのをやめて耳をすましていたが、すぐに小刻みな、唸《うな》るような笑い声をあげた。

「死ねばいいのに、おまえは生きていたのか、だが、どっちにしたって、おまえは動けやしないんだ、ほう、こりゃ面白いや、ウルリッヒ・フォン・グラドウィッツが、盗んだ森で罠《わな》にかかった。これが天罰覿面《てきめん》というものだ」

そして、彼はからかうように、残忍な調子で、また笑った。

「おれは自分の森でやられたんだぞ」とウルリッヒはやりかえした。「おれの部下が助けに来たら、おまえだって、隣の土地で密猟しているところを樹の下敷きになったというよりは、もすこしましなところを見られたかったと思うだろうよ、恥を知れ」

ゲオルグはちょっと黙っていたが、やがて、静かに答えた。

「おまえは部下が来た時、助けてもらえると思っているのか。おれも今夜は部下を森に入れて、すぐおれの後からついて来させているのだ。だから、おれの部下の方が先に来て、助けてくれるよ。このいまいましい枝の下から、おれを出してくれたら、おまえの上に、もひとつおまけに大きな幹をころがしておくのに、なんの手間暇はいらん。おまえの部下が来てみたら、おまえは倒れたブナの下敷きになって死んでいるという寸法さ。体裁上、家族にお悔みだけは云《い》っておくよ」

「それはいいことを教えてくれた」とウルリッヒは獰猛《どうもう》な調子をこめて云った。「部下には十分の間をおいて、ついて来るように命令してあるのだが、もう七分はたったろう。だから、助け出してくれたら――おまえが今教えてくれたことを思い出すよ。ただ、おまえはおれの地所で密猟していて死ぬんだから、おまえの家族にお悔みを云うにしても、ちゃんとしたお悔みが云えるかどうかかな」

「よかろう」とゲオルグは唸るように云った。「この喧嘩は、おれとおまえと部下たちの間で、よけいな邪魔ものを入れず、死ぬまでやるんだぞ。くたばって地獄に行きやがれ」

「おまえこそだ、この森盗人《ぬすっと》の密猟野郎」

二人とも口では強いことを云っても、あるいは自分の敗北かもしれぬという悲痛さがあった。なぜならば、部下が探し出してくれるのには、暇がかかることを、各自知っていたからである。いずれの部下がこの場に先に到着するか、それは単に偶然の問題であった。

二人とも、おさえつけている大きな樹から抜け出そうとする無益な努力は、もう諦《あきら》めた。ウルリッヒは彼の努力を、一部だけ自由になる片手を、外套《がいとう》のポケットまで持って行って、酒を入れた水筒をとりだすことだけにとどめた。やっとのことでとり出しても、栓をあけて、酒を咽喉《のど》に通すまでには、ずいぶんながい時間がかかった。しかし、なんとそれは神仙の一掬《いっきく》のごとく思われたことか！　暖い冬だったし、雪もまだ降っていなかったので、今頃の季節なら当然の寒さには、あまり苦しめられなかった。それでも、傷ついた男には、酒はからだを温め、蘇生《そせい》する気持だった。そこで、彼は憐憫《れんびん》に似た感情で、苦痛と疲労の呻《うめ》きを洩らすまいとおさえている仇敵の方へ眼をやった。

「この水筒を投げてやったら、手をのばして取れるか」と突然ウルリッヒが云った。

「いい酒がはいっているよ。できるだけ楽になるが上分別だぜ。飲みかわそうじゃないか、たとい今夜、どちらかが死ぬにしてもな」

「いや、おれは眼が見えないんだ。眼のまわりに血がかたまりついてるんでな」とゲオルグが云った。「それに、そうでなくても、敵と一緒に酒はのまん」

ウルリッヒはしばらく口をきかず、退屈な風の音に耳をすましていた。ある考えが、彼の頭の中で、ゆっくりと形をとり、成長していた。そして、それは苦痛と困憊《こんぱい》とに対して必死に闘っている男の方へ眼をやるたびに、いよいよ強くなって行った。ウルリッヒ自身感じている苦痛と気力消失のなかにあって、はげしい旧怨《きゅうえん》が、すこしずつ消えてゆくような気がするのだ。

「お隣りさん」と彼はやがて云った。「おまえの部下が先きに来たら、いいようにしてくれ。それは堂々たる約束だ。しかし、おれの方は気がかわったよ。もしおれの部下の方が先きに来たら、おまえの方を先きに助けさせるよ、おれのお客さまみたいにな。風がちょっと吹いても、樹が真直《まっす》ぐに立っていられないような、こんなくだらんせまい森のことで、お互いによくも今まで、あんなに喧嘩して来たものだな。今夜、ここに倒れて考えていると、どうもおれたちは、すこしばかり馬鹿《ばか》だったような気がする。人生には、境界争いで勝つことなどより、もっとましなことがある。お隣さん、もしおまえもこの古い喧嘩をおさめる気があるなら、おれは――おまえに友だちになってもらいたいのだがな」

ゲオルグ・ツネイムがあまりながい間だまっているので、ウルリッヒは傷の痛みのため、たぶん気を失ったのだろうと思った。やがて、ゲオルグが感動に身をふるわせながら、ゆっくりと云った。

「おれたち二人が馬をならべて市場の広場にはいって行ったら、この辺のものたちは、さぞ眼をまるくして、こそこそ話しあうだろうな。生きているもので、ツネイム家のものと、グラドウィッツ家のものが、仲よく話しているところなど、見たものはなかろう。それに、今夜で二人の喧嘩を打切りにしたら、森番たちの間にも、これからはよけいないざこざは起きないですむというものだ。われわれ同士で仲直りするつもりなら、ほかにおせっかいするものも、外から邪魔をするものもありゃしない……シルヴエスタの夜は、おまえがおれの家に来てくれる、そして、なにかの祝日には、おれもおまえの城で御馳走《ごちそう》になる……おれはおまえの地所内じゃ、これから絶対に鉄砲はうたないよ。おまえから客として呼ばれた時でなけりゃな。おまえも鳥のいる沼地に来て、おれと一緒に猟をするがいいよ。おれたちが仲直りする気になれば、誰だって邪魔できるものはないさ。おれは今までおまえを憎むこと以外、考えたことはなかったが、この半時間で、気持がかわったよ。それに、おまえは酒を飲めとまで云ってくれたんだからな……ウルリッヒ・フォン・グラドウィッツ、おれはおまえの友だちになるよ」

しばらくの間、二人は無言のまま、この劇的な和解によって、どんなにすばらしい変化がおこるか、心のなかでいろいろと思いめぐらしていた。間歇《かんけつ》的な突風が、葉の落ちた枝のあいだを吹きまくり、幹のまわりに叫んでいる、寒い、暗い森の中で、二人は横たわったまま、今では両家にとって、解放とも救いともなる救援の手を待った。そして、二人はおのおの自分の部下が先に来て、すでに友人となった敵に、自分の方が最初に、名誉ある心尽しを見せたいと、ひそかに祈った。

そのうち、ちょっと風がおちた時、ウルリッヒが沈黙をやぶった。

「助けを呼んでみようじゃないか。風の止《や》んだ間なら、すこしは声がとどくかもしれない」

「樹や下生えが邪魔になって、そう遠くまでは届かないだろうが」とゲオルグが云った。「やるだけはやってみよう。じゃ、一緒に」

二人は声をあげて、ながい、狩猟の時の呼び声を叫んだ。

「も一度、一緒に」とウルリッヒは、しばらく応答に耳をすましたが、なにも聞えないので云った。

「なにか聞えたようだぞ」とウルリッヒが云った。

「おれにはうるさい風の音しか聞えんよ」とゲオルグが嗄《しわが》れ声で云った。

またしばらく沈黙がつづいたが、やがてウルリッヒが嬉《うれ》しそうな叫び声をあげた。

「森の中を来る姿が見える。おれが降りて来た道を通って来るよ」

二人は力いっぱいの声をあげて叫んだ。

「聞えたらしいぞ！　立止ったよ。こっちを見ている。おれたちの方へ丘を駆けおりているよ」とウルリッヒが叫んだ。

「人数は何人だ」とゲオルグがたずねた。

「よくわからん。九人か十人だ」

「じゃ、おまえの部下だ」とゲオルグは云った。「おれは七人しか連れて来なかったからな」

「まっしぐらに走って来る、勇ましいやつらだ」とウルリッヒは、胸をとどろかせながら云った。

「おまえの部下か」とゲオルグがたずねた。「おまえの方の部下か」ウルリッヒが答えないので、彼はじれったそうにまたたずねた。

「ちがう」とウルリッヒは云って笑った。それはおそろしい恐怖にがっくりと参った、腑抜《ふぬ》けのような、震え声の笑いであった。

「じゃ、誰だ」とゲオルグは、せきこんでたずね、近づいて来る姿を見ようと、見えない眼をこらした。しかし、ウルリッヒの方は、眼をおおいたいくらいであった。

「狼《おおかみ》だ！」

ある殺人犯の告白

The Lost Sanjak

教誨師はいよいよ最後にできるだけの慰めを与えようと、死刑囚の監房へはいって行った。

「ぼくが求めている唯一《ゆいいつ》の慰めといえば」と死刑囚は云《い》った。「誰か、すくなくとも真面目《まじめ》に聞いてくれる人に、ぼくの話をすっかり話すことなのです」

「あまりながく時間がかかっちゃ困るんだがな」と教誨師は時計を見ながら云った。

死刑囚は震えをおさえて、話しはじめた。

「たいていの人は、ぼくが殺人をはたらいたので、その罰をうけているのだと思っています。ところが、実際は、特殊の教育や性格がなかった、その犠牲者なのです」

「特殊の教育って！」と教誨師は云った。

「そうなんです。かりにぼくが外へブリデス諸島の動物に関する知識をもった、イギリスでも数少いうちの一人として有名だったら、あるいは、カモエンの詩を原語で暗誦《あんしょう》することができたなら、ぼくの身もとが生死の問題だという羽目になった時、その身もとを証明するのに、なんの造作もなかったでしょう。ところが、ぼくの受けた教育といえば、ただ普通にいって立派なものでしかないし、性格も特に変ったところのない、世間なみのものだったのです。世間なみに、花造りのことも、歴史も、昔の偉大な芸術家のことも、すこしは知っていますが、『ステラ・ファン・デア・ロウペン』が、菊の花やら、アメリカ独立戦争の女傑やら、ルーブルにあるロムネイの作品やら、即座には云えません」

教誨師はもじもじと尻《しり》を動かした。三つのうちの一つと云われたが、三つともそれといえばそれらしい気がしたからである。

「ぼくは土地の開業医の妻と恋におちました、というより、おちたと自分で思っていました」と死刑囚はつづけた。「なんで恋になんかおちたのか、わかりません。というのは、その女には、肉体からいっても、精神からいっても、どこといって特別の魅力はなかったからです。過去のことをふりかえると、たしかに平凡な女だという気はするのですが、医者もかつては妻を愛したことがあるらしいのですから、人がやったことが、ぼくにできないわけはありません。ぼくがチヤホヤすると、女も満足の態で、そこまでは、むしろ女の方から誘いの水を向けたと云えるようです。でも、ぼくが近所づきあいの親しさ以上のものを求めていることは、向うじゃてんで知らなかったようです。こんなことを云うのは、死に臨んでからまで、人は嘘《うそ》をつきたくないからですよ」

教誨師はもっともだというようなことを、口の中で云った。

「それはともかく、ある晩、ぼくが医者の留守の時を見はからって、自分では愛情だと信じこんでいるものを打明けました。女は二度と自分の生活のなかにはいりこまないで欲しいと云いましたので、ぼくとしては承知するより仕方がありませんでした。もっとも、どんな風にしたらいいか、ぜんぜん見当もつかなかったのですが。小説や芝居では、こんなことは珍しいことではなく、恋人の気持や希望を誤解すると、当然のことのように、インドへ行って、戦線で働くんです。医師の家の車道をよろよろと歩いて行った時のぼくは、これから先どうしようなどという、はっきりした考えは持っていませんでしたが、ただ寝る前に『タイムズ』の地図をぜひ見なければ、というぼんやりした気持を抱いていました。それから、暗い、人通りもない往来へ出ますと、突然、死骸《しがい》にぶつかったのです」

この話に対する教誨師の興味が、眼に見えて深くなった。

「着ている服から判断すると、それは救世軍の将校でした。なにかひどい事故にやられたらしく、頭はぐしゃぐしゃに叩《たた》きつぶされて、まるで人間の形をしていませんでした。たぶん、自動車事故だろうと、ぼくは思いました。ところが、突然、抵抗できない強い力で、別の考えが浮んだのです。これは、身もとをくらまして、医者の妻の生活から、永久に姿を消す、望んでもない機会だと。遠い国へ退屈で危険な航海などせず、ただ、目撃者もない事故の、誰ともわからない犠牲者の服と身もとを取換えるだけですむのだ。なかなか骨が折れましたが、やっとのことで死骸の服をぬがせ、かわりにぼくの服を着せました。薄暗がりの中で、救世軍の将校の死骸の着換えをさしたことのあるものなら、その骨折りがわかるでしょう。医師の妻をそそのかして、良人《おっと》の家を出奔させ、どこかに住所を借りて、その費用はぼくがまかなうといったようなことを考えていましたので、手近かに集められるだけの金をかき集めて、相当の紙幣をポケットに詰めこんでいました。それで、名もわからぬ救世軍将校になりすまして世の中に出た時、ある程度の期間、そのつつましやかな役割をつづけるのに困らないだけの金には、ことかかなかったわけです。ぼくは、近くの市場町まで歩いて行きました。そして、時刻は遅かったのですが、ある安コーヒー店で二シリング出すと、食事と一晩の宿を与えられました。翌日は、小さな町から町へと、当てもない放浪の旅に出ました。ぼくは自分の突然の気紛《きまぐ》れの結果に、もういい加減いやけがさしていたのですが、二三時間もすると、いっそうそれがひどくなりました。地方新聞の記事内容ビラに、不明の人物の手で、ぼく自身が殺されたことを報じた文字を見ました。最初、無気味な興味をおぼえたこの惨劇の詳細な記事を読もうと、新聞を買ってみますと、犯人は犯行現場近くの道に潜んでいるのを見かけられた、経歴に不審の点がある救世軍将校だとされていました。もはや面白いどころではなくなりました。ことは面倒になりそうです。自動車事故だと思ったのは、あきらかに暴行殺人の事件なのです。真犯人が発見されるまでは、ぼくがこの事件にまきこまれた理由を説明するのは、なかなか困難だろうと思われます。もちろん、身もとを証明することはできます。ですが、医師の妻をまきぞえにするなどという不愉快な思いをせずに、被害者と服を取換えた、もっともらしい理由を、どうすれば示すことができるでしょう。この難問をとこうと、頭を気狂《きちが》いのように働かせている間、ぼくは意識下では、二次的な本能——できるだけ犯行の現場から遠くはなれて、どんな犠牲をはらっても、この犯人の証拠になっている服を棄《す》ててしまおうという本能に従っていました。ところが、それにも困難がありました。目立たない古着屋に、二三あたってみたのですが、ぼくがはいると、どの店でも、主人が敵意のこもった、うろんそうな態度を見せ、なにかと口実をつけて、今では服を変えることで一生懸命になっているぼくに、服を売ってくれようとはしないのです。深い考えもなく着こんだこの制服が、ぬぐとなると、誰とかの運命的なシャツのように——誰でしたっけ、そいつの名前を忘れましたけど」

「うん、うん」と教誨師はいそいで云った。「話をつづけたまえ」

「この危険な服をぬぎすてないうちは、なんとなく、警察につかまるのが安全でないような気がしました。ぼくにとって不可解なことは、ぼくが嫌疑をかけられていることは疑いがなく、どこへ行くにも、切り離せない影のようについてまわっているというのに、誰も捕縛しようとはしないことでした。どこへ顔を出しても、ぼくを迎えるものは、凝視、うなずき、囁《ささ》やき、さては『あれだよ』と聞きとれるほどの声でした。そして、やがてぼくがよく飯を食べに行った、きたなくて客も寄りつかない食堂は、そっと見ている客で一ぱいになるようになりました。とめてもきかぬ群集が、じろじろ見ている中で、ちょっとした買物をしようとする皇族の気持が、ぼくにはわかるような気がしはじめました。しかも、あからさまな敵意より、ひどく神経にこたえる、この正体のわからぬ影につきまとわれながら、ぼくの自由を妨げようとする努力は、ぜんぜん試みられないのです。後になって、その理由がわかりました。あのさびしい道で殺人が行われた頃、近くで、探偵犬の重要な実験が催されていたので、二十組ばかりの訓練を受けた犬が、殺人被疑者、つまり、ぼくの跡をつけさせられたのでした。公共心に富んだロンドンの一新聞が、真先にぼくを追いつめた犬の飼主に、莫大《ばくだい》な賞金をかけるし、どの犬が勝つかの賭《か》けが、全国を風靡《ふうび》しました。探偵犬は広く十三州にわたって配置されていましたし、ぼくの動静は、この頃には、警察にも一般民衆にも、完全にわかっていたのですが、国民のスポーツ愛好心が、わざとぼくの逮捕をおくらせているのでした。いつまでもぼくが司直の手をのがれているので、功名心に駆られた田舎刑事が、いよいよけりをつけようとしても、『犬に機会を与えよ』というのが一般の気持でした。凱歌《がいか》をあげた一組の犬による、ぼくの逮捕は、そう劇的な場面でもありませんでした。事実ぼくがその犬どもに話しかけ、頭をなでてやらなかったら、ぼくに気がついたかどうか怪しいくらいでした。ところが、事件は異常な党派的興奮をまきおこしたものでした。優勝者について決勝点に近づいていた犬の飼主はアメリカ人で、優勝犬の血統には六代前にカワウソ犬の血がまじっているが、賞金は最初に犯人を捕えた探偵犬に対して提供されたのであって、カワウソ犬の六十四分の一の血を持っている犬は、形式上、探偵犬と考えることはできないという根拠によって、抗議を申し出ました。結局どういうことで解決したか忘れましたが、大西洋の両側で、喧々囂々《けんけんごうごう》たる議論をまきおこしたものでした。ぼくがこの論争に寄与できることといえば、実際の犯人はまだ逮捕されていないのだから、紛争全体が的はずれだと指摘することでしたが、この点については、一般の意見も、専門家の意見も、厳として動かないのです。不愉快ながら、やむを得ないので、自分の身もとを証明し、動機を中立てることに、一縷《いちる》の望みを托《たく》しました。ところが、それよりも不愉快なことは、それが不可能だということを、すぐに発見しました。過去数週間の経験が以前はおだやかだったぼくの顔に残した、やつれ、追いつめられた表情を鏡で見た時、幾人かの友人親戚《しんせき》が、変ったぼくを認めようとはせず、道路で殺されていたのはぼくだという、頑固な、だが世間一般の信念を、ぜったいに撤回しなかったのに、それほどの驚きも感じませんでした。さらに困った、それも手のつけられないほど困ったことには、実際に殺された男の伯母という、明らかに知能の低い、おどろくべき女が、ぼくのことを甥《おい》だと認め、ぼくが不良だったことや、ぼくをまともな道へ引戻そうと、彼女がいかに称揚すべき、しかし無益な努力をはらったかということを、大袈裟《おおげさ》に申立てたことでした」

「だが」と教誨師は云った。「きみの学識の高さで、きっと――」

「それがまさに決定的な岐路でした」と死刑囚は云った。「特別な知識がなかったことが、ぼくにとって致命的な不利だったというのは、そこなのです。軽々しく、運わるくもぼくがその本人になった救世軍将校というのは、安っぽい、うすっぺらな現代教育をうけた男でした。ぼくの学問と彼の学問とでは、まるで水準がちがうことを見せるのは、実に易々たることだったはずですが、神経が興奮していたので、つぎからつぎと出される試験を、みじめなほどしくじってしまいました。知っていたわずかばかりのフランス語も、思い出せないのです。スグリについての簡単な文章も、フランス語に翻訳できませんでした。そもそもスグリというフランス語を忘れたからなんです」

教誨師はまたもじもじとからだを動かした。

「そして次に」と死刑囚は話をつづけた。「いよいよ最後の失敗です。ぼくたちの村には、地味な小さな討論会がありまして、なによりも医師の細君を喜ばせるためだったようですが、バルカンの危機について、ほんの概略的な講演をする約束をしていました。定評のある著作を一つ二つと、雑誌のバック・ナンバーで資料は集まると、たかをくっていたのでした。検事は、ぼくが本人だと主張している——そして、事実そうなのですが——男は、その地方で、バルカン問題の受売りの権威者といった風に目されていたという事情まで、克明に覚書きをつくっていて、さりげない問題で、いくつも質問を浴びせかける合間に、まるで藪《やぶ》から棒に、ノヴィバザアとはどこにあるか、知っているかとたずねるのです。この質問が運命の岐《わか》れ路《みち》だという気がしました。なんという理由もなく、答えはセント・ピーターズバーグかベイカー街か、どちらかだと思いました。ぼくはためらい、緊張して待っている顔の海を途方にくれて見まわし、勇を鼓して、ベイカー街の方を選びました。すぐに、ぼくはすべてが駄目になったことを知りました。検事は、近東の事情にいくらかでも通じているものなら、ノヴィバザアを地図のいつもある場所から、ほかのところへ移すなどという不作法なことをするはずがないとわけなく証明しました。あの救世軍将校なら、そんな答えもやりかねないのです――ところが、ぼくがやったのです。殺人犯人としての救世軍将校に関する情況証拠は、圧倒的に有力で、ぼくは免れるすべもなく、自分をその救世軍将校だと証明してしまったのです。そして、ごらんのように、十分後には首をくくられて、自分自身を殺した罪、そんな殺人なんか起ったこともないのですから、いずれにしろ、ぼくは必然的に無罪であるべき罪の償いとして、死ぬ羽目になったのです」

＊＊＊

十五分ばかりたって、教誨師が自宅に帰った時、監獄の塔には、黒い旗がひるがえっていた。食堂には朝食の支度ができていたが、彼はそれよりも先《ま》ず書斎へ行って、タイムズの地図をとりあげ、バルカン半島のところを調べた。そして、バタリと本をとじながら云った。「誰にだって、あんなことが降りかからんともかぎらん」

ラプロシュカの霊魂

The Soul of Laploshka

ラプロシュカはじつに吝《けち》な男だったし、また、じつに面白い男であった。他人のことをひどく云《い》うのだが、それがなかなか愛嬌《あいきょう》があるので、人は自分のことを蔭《かげ》で同じようにひどいことを云われても、怒る気にならない。われわれは自分ではたちのよくないゴシップを嫌うくせに、自分のかわりにやってくれる人、しかも、うまくやってくれる人には、つねに感謝するものである。そして、ラプロシュカは、まったく、これがうまかったのである。

もともとラプロシュカの交友範囲は広かったが、その選択にそこばくの配慮を用いたので、当然の勢いとして、そのうちの相当の数は、人をおごることに関する、彼のいささか一方的な見解を寛大に黙認することができるだけの銀行の残高を持っている人たちであった。こうして、世間なみの財産しか持っていなかったが、彼は収入の範囲内で愉快に暮すことができたし、金離れのよい、いろいろな仲間の収入の範囲内で、なおいっそう愉快に暮すことができた。

しかし、貧乏人とか、彼と同じように限られた財源のものに対すると、彼の態度には油断のない不安があらわれる。シリングとかフランとか、ともかく現在流通している貨幣の幾片かが、自分のポケットから、貧乏な仲間のポケットへ移るとか、その仲間に使われるとかするのではないかという執拗《しつよう》な恐怖に、悩まされつづけているようである。エビでタイを釣る主義で、裕福な金主には、二フランの葉巻を愛嬌よく差出すこともあるが、給仕にチップをやるのに小銭が必要なとき、あいにく自分が銅貨を持合せていると白状するより、偽証の罪の苦しみを受ける彼であることが、わたしにはわかっていた。その銅貨は、最近の機会において、ちゃんと返してもらえるにきまっている――借りた方の側が健忘症にかからないように、彼はいろいろと手段を弄《ろう》するのだ――しかし、思わざる事故が起らないともかぎらないし、ペニーにしろスーにしろ、一時それと隔離されていることでさえ不幸なのだから、そんなことは避けるべきなのである。

この愛すべき弱点を知っているものは、心にもなき大盤振舞に対するラプロシュカの恐怖をからかう誘惑をたえず受けた。馬車にすすめて乗せ、馬車賃の持合せがないふりをし、彼が釣銭で受取ったばかりの銀貨を沢山持っている時に、六ペンス出してくれといって慌《あわ》てさせる。こうしたことは、機会さえあれば、いくらでも考え出せる拷問《ごうもん》であった。公平に評価すれば、彼が『否《ノー》』と云って評判を落さず、まさに進退きわまった窮境から、なんとかして逃れ出るラプロシュカの縦横無比な奇略は認めざるを得ない。しかし、神は、いつかはたいていの人に機会を与えるもので、わたしの機会は、ある夜、ラプロシュカと二人、遊歩道の安料理店で食事をしている時に到来した(申し分のない収入のある人の客によばれた時以外、ラプロシュカは贅沢《ぜいたく》な生活に対する慾望《よくぼう》をおさえるのが常であった。客によばれた時には、そうした慾望をあまり抑制しなかった)。食事がちょうど終った時、少々急ぎの使いが来たので、彼があわてふためいて抗議しているのを尻目《しりめ》に、わたしは残酷にも、「ぼくの分も払っといてくれたまえ、明日返すから」と云い残して出かけてしまった。翌朝はやく、いつもあまり通ったことのない横町を歩いているわたしを、ラプロシュカが本能でもって探し出した。彼は夜っぴて眠らなかったような顔をしていた。

「きみは昨夜、ぼくに二フラン借りがあるんだぜ」というのが、顔をあわせるなり、息をきらして云った彼の挨拶《あいさつ》であった。

わたしは話をはぐらかすように、緊迫を告げつつあるらしいポルトガルの情勢のことを話した。しかし、ラプロシュカはつんぼのまむしのように上の空で聞いて、またすぐに二フランの問題にもどった。

「借りておくより仕方がないようだな」とわたしはさりげなく、ひややかに云った。「あいにく一文なしなんだよ」それから、わざと嘘《うそ》をついた。「半年か、もしかするともっとながくなるかもしれないが、旅に出るつもりなんだ」

ラプロシュカはなにも云わなかったが、眼がすこし飛びだし、頬にバルカン半島の人種別地図のような、斑《まだ》らな色がうかんだ。その日の日没に、彼は死んだ。「心臓活動衰弱」というのが医師の診断であった。しかし、事情を知っているわたしには、悲しみのために死んだことがわかっていた。

彼の二フランをどう処置するかという問題が起った。ラプロシュカを殺したこともことだが、彼の熱愛する金をそのままにしておくことは、冷酷さを示すもので、わたしのよくなし得るところではない。貧しい人に施すなどという月並みな解決法は、決してこの場合にふさわしいものではなかった。なぜならば、彼の財産のこれほど誤った使用法ほど、死者を悲しませるものはないからである。それかといって、金持に二フラン贈るというのは、なかなかの機略を要する仕事だ。ところが、この苦境から脱する安易な方法が、次の日曜日、パリでいちばん人の集まる教会の側廊を埋めた、国籍雑多な群集の中に押しわけて入った時、忽然《こつぜん》として現われたように思われた。『司祭様の貧民』のための献金袋が、見たところ立錐《りっすい》の余地もない人の海の中を、あちこちとまわりながら進んでいて、わたしの前にいた一人のドイツ人が、あきらかに壮麗な音楽の鑑賞を、金を払って聞くという気持で汚《けが》されたくないらしく、この慈善の強要について、連れのものに、あたりかまわぬ声で批判していた。

「あの連中、金を欲しがっちゃいないよ。金なんかいくらでも持ってるんだ。貧乏人じゃないよ。みんな贅沢な暮しをしているよ」

これが事実なら、なにも云うことはない。わたしは司祭様の金持に対して、口の中で祝福をとなえながら、ラプロシュカの二フランを、献金袋に投げ入れた。

三週間ばかり後、たまたまわたしはウィーンに行って、ある晩、ヴェリンガー街の、見すぼらしいが、すばらしい小さな料理店で夕食をとっていた。設備は古めかしいが、シュニッツェルやビールやチーズは、まったく非のうちどころがなかった。うまいものには人が寄るの譬《たと》えのとおり、入口にちかい小さなテーブル以外は、どのテーブルもふさがっていた。食事の途中、ふとその空いていたテーブルの方に眼をやると、それももう塞《ふさ》がっていた。客は安い料理の中でも、いちばん安いものを探してでもいるように、夢中になって定価表をしらべているラプロシュカだった。一度彼は、さながら「きみが食べてるのは、ぼくの二フランだよ」とでも云うように、わたしの料理の方を、ちょっと見やって、すぐに眼をそらした。あきらかに司祭様の貧しい人々は、ほんとに貧乏だったのだ。シュニッツェルは革を嚙《か》むがごとく、ビールは温湯《ぬるまゆ》のような味になった。わたしはエムメンタレルには手もつけないで残した。わたしはこの部屋から、あいつが坐《すわ》っているテーブルから逃げ出すことしか考えなかった。そして、出てゆく時も、わたしがピッコロ吹きに投げてやった金――これも彼の二フランの中からだ――を見つめている、ラプロシュカのとがめるような眼を感じた。翌日わたしは、生きているラプロシュカなら、自分の金ではとうていはいる気にならないような、高級料理店で昼食をとり、死んだラプロシュカも、同じ障碍《しょうがい》を認めそうなものだと思った。わたしの見当に狂いはなかった。しかし、店を出てみると、かわいそうに、彼は入口に出してある定価表を見ていた。そして、ゆっくりとミルク・ホールの方へ歩いて行った。いままでにはじめて、わたしはウィーン生活の魅力と楽しさを失った。

それ以後、パリ、ロンドン、そのほかどこへ行こうと、わたしはしょっちゅうラプロシュカの姿を見うけた。劇場の特別席に席をとると、いつもわたしは、薄暗い最下等席の奥の方から、こっそりこちらを見ている彼の視線を意識した。雨の午後など、クラブへはいろうとすると、向いの家の入口で濡《ぬ》れながら雨宿りをしている彼を見かけたものだった。ハイド・パークで、たいした贅沢でもない有料ベンチに腰かけていると、たいてい彼は、わたしを見つめるというでもなく、だが、いつもわたしの存在をはっきり意識している風で、無料ベンチから見ていた。友だちはわたしの顔色がよくないと云いはじめ、俗事から逃げ出すように忠告した。わたしとしてはラプロシュカから逃げ出したかったのだ。

ある日曜日——いつもよりひどい人混みだったから、たぶん復活祭だったろう——わたしはまた、パリでも一流人士の集まる教会で、音楽を聞こうとする群集の中でもまれていた。そして、今度もまた献金袋が人の海の中を廻って来た。わたしの後の一人のイギリス婦人が、まだ遠い献金袋に銀貨を入れようとしていたが、手が届かないので、頼まれるままに、わたしは代りに袋へ入れてやろうとした。それは二フラン銀貨であった。はっと霊感をうけて、わたしは自分の銅貨を袋に入れ、銀貨はそっとポケットに入れた。これでわたしは、その遺産を受けるべき筋合いでない貧乏人から、ラプロシュカの二フランを取返したわけである。人混みの中から、もとの席へ帰って来ると、「わたしのお金は袋に入れなかったようだわ。パリにはあんなことをする連中がたくさんいるのよ」と云っている女の声が聞えた。しかし、わたしの心は久しぶりに軽くなった。

取り戻した金を、受けるに足るべき金持に贈るという、微妙な使命がまだ残っていた。今度もまた、わたしは偶然の霊感にまかしたが、また好運に見まわれた。それから二日後、俄《にわ》か雨にであって、わたしはセーヌ左岸のある歴史上有名な教会にとびこんだ。するとそこに、パリでも一二をあらそう金満家で、しかも、服装のみすぼらしいこと、これも一二をあらそうというR男爵《だんしゃく》が、古い木彫を眺めていた。今こそ、でなければ、こんな好機は絶対に来ない。ふだんなら、はっきりとイギリス人流のアクセントで話すフランス語に、強いアメリカ人流の抑揚をつけて、わたしは男爵に、この教会が建立《こんりゅう》された時代とか、その広さとか、その他アメリカの観光客が必ず聞きたがるようなことを訊《たず》ねた。男爵が即座に答えられるだけのことを聞くと、わたしは心から「遠慮なくとっておいてくれ」といった様子をみせて、もったいらしく彼の手に例の二フランを握らせ、そのまま出て行った。男爵はちょっと驚いた風だったが、この場の事情を好意的に受けとった。そして壁にとりつけてある小箱の方へ行って、ラプロシュカの二フランを差入口から入れた。小箱には「司祭様の貧しい人々のために」と書いてあった。

その夜、カフェ・ド・ラペの近くの雑沓《ざっとう》した角で、わたしはラプロシュカの姿をちらと認めた。彼はにっこり笑い、ちょっと帽子をあげ、そのまま姿を消した。それきり、二度と彼の姿は見かけなかった。とにかく、あの金が受けるに足るべき金持の手に、一度は与えられたので、ラプロシュカの霊魂は成仏《じょうぶつ》したのである。

七つのクリーム壺《つぼ》

The Seven Cream Jugs

「従男爵《じゅうだんしゃく》の後継ぎになるし、たいへんな財産を相続したんですから、ウイルフリッド・ピジョンコートは、うちになんか来てはくれないだろうと思いますわ」とピーター・ピジョンコート夫人が、残念そうに良人《おっと》に云《い》った。

「まあ、来ないだろうな」と彼は答えた。「なにしろ、行く末の見込みもなかった頃は、出入りを差止めていたんだからね。十二くらいの時から、顔をあわせたこともないだろう」

「親しくつきあってもらいたくない理由があったんですもの。あんなひどい疵《きず》があっちゃ、どこの家でも歓迎はされませんよ」

「だが、その疵はやはり癒《なお》ってはいないだろう。それとも、性格矯正というのも、財産と一緒にうけつぐと思うかい」

「そりゃもちろん、まだその欠陥は残っていますよ。でも、将来本家の跡取りになる人なら、つきあってみたくなるだろうじゃありませんか、たとい、ほんの好奇心からだけでもね。それに、皮肉は別として、金持になると、世間の人だって、あの人の欠陥を見る眼がちがってきますよ。人間、途方もない金持——それも裕福ななんて程度じゃない金持になると、下劣な動機の疑いなんか、当然消えてしまうものですよ。あんな欠陥だって、ただやっかいな病気くらいなところですむんですよ」

ウイルフリッド・ピジョンコートは、従兄《いとこ》のウイルフリッド・ピジョンコート少佐がポロの事故が原因で死んだので、突然、伯父のウイルフリッド・ピジョンコート卿《きょう》の相続者になったのである（ウイルフリッド・ピジョンコート家の一人が、マルバラの戦いで手柄をたてたので、それ以来、ウイルフリッドという名を一家のものは誰でもつけるようになったのである）。一家の品位と財産との新しい後継者は、二十五歳の青年で、従兄弟《いとこ》とか親戚《しんせき》の間では、本人よりも評判の方で知れわたっていた。そして、その評判というのは、面白くないものであった。一家の他の多くのウイルフリッドは、ハブルダウンのウイルフリッドとか、砲兵のウイルフリッドというように、主として住所とか職業によって区別《くべつ》されていたが、今度の相続者は、「搔《か》っ払いのウイルフリッド」という屈辱的で意味深長な称号によって知られていた。小学校の上級生の頃から、彼は発作的で難症の盗癖にとりつかれた。蒐集家《しゆうしゆうか》としての弁別力のない、蒐集家の欲張りな本能だけを持っていたのである。食器棚より小さくて持運びのできる、そして九ペンス以上の値打ちのものならなんでも、彼にとっては抵抗しがたい魅力を持っている。但《ただ》し、それが他人の所有物であるという、必要な条件をみたした時に限るのである。たまに彼が別荘のパーティに出席した時など、彼が帰る前の晩には、ほかの人の持物を「間違って」入れてやしないか、友誼《ゆうぎ》的に彼の荷物を調べるのが、主人として、あるいはまた誰か一家の一員としての習慣でもあり、ほとんど必要でもあった。調べてみると、いろんなものがたくさん出て来るのが常であった。

「こりゃ面白い」とピーター・ピジョンコートは、さっきの会話から三十分ばかり後、妻にむかって云った。「ウイルフリッドから電報が来たよ。自動車でここを通るから、寄って御挨拶《ごあいさつ》がしたい。お差支えがなかったら一晩御厄介になりたいとさ。『ウイルフリッド・ピジョンコート』と署名がしてある。『搔っ払い』にちがいないよ。ほかに自動車なんか持ってるものはいないからね。多分、銀婚式の贈物を持って来るんだよ」

「あら、どうしましょう」とピーター夫人が、ふと考えついたことがあって云った。「あんな癖のある人が来るにしちゃ、すこしばかり間のわるい時ですね。銀の贈物はみんな応接間に並べたててあるし、ほかにも郵便配達のたびに舞いこんでいますわ。何をもらったのやら、これから何をもらうやら、もうごちゃごちゃになって。あれをみんなしまいこむわけにはいきません。あの人、きっと見たいって云いますよ」

「よく気をつけるんだね、大丈夫さ」とピーターは保証するように云った。

「でも経験にとんだ窃盗常習者というものは、うまいんですからね」と夫人は心配そうに云った。「それに、わたしたちが見張っていることがわかったら、間のわるいものですからね」

その晩、自動車の客がもてなしを受けている間、一座をはっきり支配したのは、まさに『間のわるさ』であった。話は小心翼々と、急いでさしさわりのない話題から話題へとうつった。客は家族のものが期待していた、人目をぬすむような、じぐじぐした態度ではなかった。礼儀正しくて、自信にみちて、いうなれば、いくらか「気取った」風に見えた。一方、主人側は自分の下劣さを意識している証拠ともみられる、落ちつかないようすをしていた。食後、応接間にうつると、小心翼々と間のわるさは、ますます昂《こう》じた。

「ああ、まだ銀婚式の贈物をごらんにいれませんでしたわね」とピーター夫人が、客をもてなすすばらしい方法を思いついたように、だしぬけに云った。「みんなここにありますわ。とても見事で、役にたつものばっかり。そりゃ中には同じものもありますけど」

「クリーム壺は七つ」とピーター夫人が口をはさんだ。

「ええ、困りますわ」とピーター夫人はつづけた。「七つもですからね。これから一生クリームばっかり飲んでいなきゃならないような気がしますよ。もちろん、そのうちには取換えてもらえるのもありますけど」

ウイルフリッドは主として骨董《こっとう》的面白味のある贈物に関心をもち、その中の一つ二つを電燈《でんとう》の下に持って行って、刻印を調べたりした。そんな時の主人側の不安は、新しく生れた仔猫《こねこ》が、手から手へまわされて調べられている時の親猫の心配に似ていた。

「ええッと、芥子《からし》壺は返していただきましたかしら、ここに置いてあったんですけど」とピーター夫人がうわずった声で云った。

「すみません。それはクラレット壜《びん》のそばにおきましたよ」とウイルフリッドは、もう次の品物にかかりながら云った。

「ああ、そのお砂糖篩《ふるい》、ちょっと返して下さいな」とピーター夫人は、小心翼々たるなかにも、梃子《てこ》でもひかぬ決意を示しながら云った。「どなたから頂いたのか、忘れないうちに、札をはっておかなくちゃなりませんから」

これほどの警戒ぶりも、完全な勝利感をもっては報いられなかった。客に「おやすみなさい」を云った後で、ピーター夫人は、彼がなにか持って行ったにちがいないという確信をもらした。

「あの男のようすからみると、なにかやったようだな」と良人も裏書きした。「なくなったものはないかい」

ピーター夫人は、ずらりとならんだ贈物の列を、いそいで勘定した。

「三十四しかありませんわ、三十五あったと思うんですけどね。三十五っていうことは、まだ届いてない副監督さんの薬味台も入れてだったかしら」

「わかるもんか。あいつ、贈物も持って来なかったじゃないか。おまけに持って行かれてたまるもんか」

「明日、お風呂《ふろ》にはいってる時」とピーター夫人は興奮して云った。「きっと鍵《かぎ》をどこかに置いてゆくでしょうから、旅行鞄《かばん》を調べましょうよ。それっきり方法がありませんわ」

翌朝、陰謀者は細目にあけたドアの蔭《かげ》から油断なく見張りをつづけ、豪奢《ごうしゃ》な浴衣を着たウイルフリッドが、浴室へ行くのを見すますと、興奮した二人は客間へと、すばやく、こっそりと忍びこんだ。ピーター夫人が外で見張りをしている間に、良人はまず急いで鍵を探して見つけ、それから、不愉快なほど良心的な税関吏のように、旅行鞄にとびついた。捜査はすぐに終った。銀のクリーム壺が薄物のシャツの間に鎮座ましましていたのだ。

「なかなか抜け目がありませんわね」とピーター夫人が云った。「たくさんあるものだから、クリーム壺をとったんですよ。一つぐらいわからないだろうと思ってね。さ、はやく持っておりて、もとのところに返しておいて下さいな」

ウイルフリッドはおくれて朝食におりて来たが、なにか工合のわるいことが起ったことが、そのようすから一目でわかった。

「どうも申しにくいことですが」とやがて彼は云い出した。「お宅の召使いの中に、盗人《ぬすっと》がいるんじゃないかと思いますね。ぼくの旅行鞄の中から盗まれたものがあるんです。あなた方の銀婚式のお祝いに、母とぼくからのささやかな贈物だったんです。本来なら、昨夜夕食後、お贈りしなきゃならなかったんですけど、あいにくそれがクリーム壺で、同じものをたくさんもらって困ってらっしゃるようすだったものですから、ぼくからまた一つ差上げるのが、間がわるかったんですよ。なにかほかの品にとりかえようと思ってたんですが、それがなくなったんです」

「お母さまとあなたから贈物だというんですか」とピーター夫妻は、ほとんど一緒に云った。

『掻っ払い』の両親は、ずっと前に死んでいるのだった。

「ええ、今カイロにいる母ですよ、ドレスデンにいたぼくに、古い銀器でなにか面白くてきれいなものを探して、お贈りするようにって手紙をよこしたものですから、ぼくがそのクリーム壺にきめたんです」

ピーター夫妻は真蒼《まつさお》になった。ドレスデンと云われて、はじめて事情がわかったのだ。これは外交官のウイルフリッドで、なかなか優秀な青年であるが、今まで彼らの交際範囲には、あまり顔を見せなかったので、『掻っ払い』のウイルフリッドという仮定の人物として、知らずにもてなしていたのだった。母のアネスティン・ピジョンコート夫人は、彼らの限界も野心もまったく超えた社会にはいっていて、息子はおそらくいつかは大使になるだろうと云われていた。しかも、こんな男の旅行鞄を荒したのだ！　夫妻は絶体絶命の気持で、ぼんやり顔を見あわせた。最初に妙案を思いついたのは、ピーター夫人の方であった。

「家の中に盗人がいるなんて、いやですわね。もちろん、夜の間、応接間は錠をおろしておくんですけど、朝御飯の間になにか持ってかれたかもしれませんわ」

彼女は立ちあがって、応接間から銀器類が盗まれていないのを、自分で確めるふりをして、急いで出て行ったが、すぐにクリーム壺を持って戻って来た。

「行ってみると、クリーム壺が八つあるんですよ、七つだったのに」と彼女は云った。

「これは前にはありませんでしたわ。記憶って、妙ないたずらをするものですわね、ウイルフリッドさん。きっとあなたは、昨夜、応接間に錠をかけない前に、これを持っておりてらしたんで、今朝は、そんなことしたなんて、すっかり忘れてらっしゃるんですわ」

「記憶というものは、よくそんないたずらをするものですよ」とピーター氏は、必死になって云った。「このあいだも、わたしは勘定を払いに町に行きましてな、翌日、すっかり忘れて、また——」

「これはたしかに、ぼくが持って来た壺ですね」とウイルフリッドは、しさいに調べながら云った。「今朝、浴室に行く前、浴衣を出した時には、ちゃんと旅行鞄の中にあったのです。そして、部屋に帰って、鞄をあけてみたら、なくなっているんです。ぼくが部屋をあけた留守に、誰かが持って行ったんですよ」

ピーター夫妻はいっそう蒼くなった。ピーター夫人が最後の妙案を思いついた。

「わたしの気附薬を持って来て下さいな」と彼女は良人に云った。「化粧室にあったと思いますから」

ピーターは解放されたのを喜んで、部屋からとび出した。この数分間が、ずいぶんながく思われたので、金婚式もそう遠くないような気がしたくらいだった。

ピーター夫人は、いかにも人に聞かせたくない話をする時のように、はにかみを見せながら客の方をむいた。

「あなたのように外交官ですと、こんなことはなかったことにする方法を御存じでしようね。ピーターのちょっとした病《やまい》ですの。遺伝ですよ」

「えッ！　あの方が窃盗狂だとおっしゃるんですか、『掻っ払い』君のように」

「いいえ、あれともちがいますの」とピーター夫人は、自分がかぶせている良人の罪を、すこし軽くしようと思って云った。「その辺にほうり出してあるものには、手も触れないんですけどね、ちゃんとしまってあるものには、手をつけずにいられないんですよ。お医者さまは、なんとかいう特別の病名を云ってましたわ。きっとあなたがお風呂にいらしたのを見て、すぐ鞄にとびついて、最初に眼についたものをとったんですよ。もちろん、クリーム壺をとる動機なんかございませんわ、ごらんのように、もう七つもあるんですから――もちろん、あなたとお母さまの御親切な贈物を、けなすわけじゃございませんけど――しッ、ピーターが来ますわ」

ピーター夫人はうろたえて話をうちきり、廊下に出て行って、良人をつかまえた。

「大丈夫ですよ」と彼女は囁《ささや》いた。「わたしがなにもかもすっかり説明しておきましたから。あのことはもう何も云っちゃいけませんよ」

「よくやってくれたね」とピーターは安堵《あんど》の溜息《ためいき》とともに云った。「わたしにはとてもできんよ」

＊＊＊

外交的沈黙は、必ずしも家庭問題にまで守られるものではない。春の間滞在していたコンスエロ・ヴァン・ブリヨン夫人が、浴室に行くとき、それとわかる宝石筥《ばこ》を二つ、いつも手から離さず持って歩き、廊下で人に会ったりすると、マニキュアと美容マッサージの道具だと弁解する理由が、ピーター・ピジョンコートには、どうにものみこめなかった。

盲点

The Blind Spot

「おまえはアデレードの葬式から帰って来たところなんだね」とラルワース卿《きょう》が甥《おい》に云《い》った。「ほかの葬式と、たいしてちがったところもなかったろう?」

「そのことは昼食の時に話しましょう」とエグバートは云った。

「そんなことをしちゃいけないな。それはおまえの大伯母さんの思い出に対しても、昼食に対しても、敬意をかくというものだ。昼食は、まずスペイン風のオリーヴズ、それから次がボルシチ、それからまたオリーヴズとなにかの小鳥、それにうっとりするようなライン葡萄酒《ぶどうしゅ》、この国の葡萄酒のように、決して高価なものではないが、その方じゃじつに立派なものだ。としてみると、この献立には、おまえの大伯母さんとか、その葬式のことと、すこしでも調和するものは、ぜんぜんないじゃないか。大伯母さんはいい人だったし、それに必要なだけは賢こくもあったよ。だが、どうしたものか、いつもイギリス人のコックが考えるマドラスのカレー料理を思い出させられたね」

「大伯母さんは、よくあなたのことを不真面目《ふまじめ》だと云ってましたよ」とエグバートは云った。その調子は、彼も大伯母の意見に賛成であることを示していた。

「一度、人生においては、澄んだ良心よりも、澄んだスープの方が大切な要素だと云って、ひどく怒らせたことがあるんだ。アデレードには比較のセンスがなかったよ。ところで、アデレードはおまえを相続人にしたんだったな」

「ええ」とエグバートは云った。「それに指定遺言執行者にもです。そんな関係で、特にあなたにお話があるんです」

「実務というやつは、いつもわしには不得手でな」とラルワース卿は云った。「殊《こと》にすぐこれから食事をはじめようとする時には、不得手なこと間違いなしだよ」

「まるで実務というわけでもないんです」とエグバートは、伯父の後から食堂へはいりながら云った。「もっと重大な問題ですよ。非常に重大な」

「じゃ、いよいよ今はいけないね。ボルシチを食べてる間に、重大な話なんかできやせんよ。これからおまえも経験するような、見事に組合わせたボルシチとなると、話はおろか、ほとんど思想まで根こそぎなくなるよ。後で、二度目のオリーヴズが出たら、ボロウの新刊書だろうと、お望みなら、ルクセンブルグ大公国の現状についてだろうと、いつでも議論のお相手になる。だが、小鳥料理をすすまでは、仕事めいた話は、ぜったいに御免こうむるよ」

食事のあいだ、エグバートはなにか心に屈托《くったく》ありげに、ほとんど口をきかなかった。ある一つのことに心を集中している沈黙だった。コーヒーが出ると、彼は伯父のルクセンブルグ宮廷の回想談は後廻しにして急に話し出した。

「アデレード大伯母さんが、ぼくを指定遺産執行者に選んだことは、話しましたね。法律上の問題では、たいして面倒なこともありませんでしたが、書類に眼を通すのがたいへんでしてね」

「書類を調べるなんて、仕事そのものが厄介なものだからな。親類からの手紙なんか、うんとあったろう」

「山ほどありましたがね、たいていつまらないものばかりでしたよ。でも、一束だけ、注意して読む値打ちがあるんじゃないかと思うものがありました。大伯母さんの兄さんのピーターからの手紙なんです」

「いたましい死に方をした、あの本山僧だな」とラルワースは云った。

「そうです、おっしゃる通り、いたましい死に方でした。はかり知れない秘密につつまれた悲劇でした」

「おそらく、最も簡単な説明が、正しい説明だろう」とラルワース卿は云った。「石の階段ですべって、倒れる時、頭を割ったんだな」

　エグバートは首をふった。「医学的検証の結果は、頭の傷が背後から加えられた、打撃によるものであることを証拠だてています。階段にぶつかってできた傷なら、頭にあんな角度で加えられるはずはないのです。考えうるあらゆる位置に、人形を倒してみて、当局では実験をしたのです」

「だが、動機は？」とラルワース卿は叫んだ。「あの男を殺すことに興味を持つものなんかいないし、単に人殺しが面白くて、国教の本山僧を殺す人間の数は、じつに限られたものだよ。もちろん、世の中には精神病者というものがあって、そんなことをしないとはかぎらないが、そんなやつらは自分のやったことを隠さないものだ。それよりわざと見せびらかすのが普通だよ」

「コックが嫌疑をうけました」とエグバートがぶっきらぼうに云った。

「知っている」とラルワース卿は云った。「しかし、それは悲劇の起った時、邸内にいたのは、コックだけだったらしいという理由のみにもとづくものだった。だが、セバスチアンに殺人の嫌疑をかけるほど馬鹿《ばか》なことがあるだろうか。主人の死によって、セバスチアンはなんら得るところはない、事実、失うところが多いのだ。あいつを連れて来てコックにした時、わしにもやっと払えるくらいの給料を、あの本山僧は払っていたのだ。その後、真価に応じて、もすこし給料を増してやってはいるが、その当時は、あいつも給料がどうのということを考えずに、ただ新しい勤め口ができたのを喜んでいたものだ。世間の人はあいつを毛嫌いする風があって、あいつはこの国にはこれという友人もなかったのだ。うん、この世であの本山僧の長命と旺盛《おうせい》な食慾《しょくよく》に関心をもっていたものがあるとすれば、それはまさにセバスチアン以外にはないよ」

「人間は、自分の軽率な行為の結果を、かならずしも重視しないものです」とエグバートは云った。「でなければ、殺人なんてずいぶん少くなるでしょうがね。セバスチアンは非常に短気な男なのです」

「南国人だからな」とラルワース卿も認めた。「地理的に正確に云えば、ピレネー山脈のフランス側斜面の出身だと思う。このあいだ、スカンポのかわりににせものを持って来たというので、あいつが庭師の子供を、殺しかけた時も、わしはそのことを考慮してやったのだ。素姓、出身地、子供時代の環境といったものは、酌量してやらなきゃならんよ。『経度がわかれば、その人に許すべき緯度（訳注 自由の意）がわかる』というのが、わしの座右銘だよ」

「ほらごらんなさい。あれは庭師の子供を殺しかけたじゃありませんか」

「おい、エグバート、庭師の子供を殺しかけたということと、本山僧を完全に殺したということとの間には、大きな開きがあるよ。おまえだって、ある時、庭師の子供を殺したくなることはしばしばあるだろう。ところが、おまえはその慾望を実行にはうつさない。だからこそ、わしはその自己抑制の故《ゆえ》におまえを尊敬するのだ。だが、八十にもなる本山僧をおまえが殺そうとするとは、わしには思えん。おまけに、われわれの知っているかぎりでは、あの二人の間に、喧嘩《けんか》口論はなかったのだ。公判廷での証言で、そのことは明瞭《めいりよう》になっている」

「そうです」とエグバートは、いままでお預けになっていた話の焦点に、やっとたどりついたといったようすで云った。「ぼくがお話したいというのは、まさにそこなんです」

彼はコーヒー茶碗《ちやわん》をおしやって、胸の内ポケットから紙入れをとりだした。そして、その紙入れから封筒をとり出し、封筒の中から、小さな、きれいな字でぎっしり書いた、一通の手紙を出した。

「アデレード大伯母さんに宛《あ》てた、ピーター大伯父さんからのたくさんの手紙のうち、これは死ぬ数日前に書かれたものです」とエグバートは説明した。「大伯母さんは、これを受取ったとき、もう記憶力が弱っていて、おそらく、読んだすぐから、書いてあった内容は忘れてたんでしょう。でなければ、すぐあんなことが起ったんですから、今までにこの手紙のことは、ぼくたちの耳にもはいっていたはずです。もし、これが公判廷に提出されていたら、裁判の結果もちがっていたろうと思いますね。いまも伯父さんがおっしゃったように、それだけの犯罪——もし犯罪があったとすればですよ——それだけの犯罪を敢《あえ》てするだけの動機や挑発と考えられるものが、ぜんぜんなかったことを証拠は明らかにし、セバスチアンに対する嫌疑の息の根をとめたのです」

「まあ手紙を読んで聞かせてくれ」とラルワース卿はじれったそうに云った。

「晩年の手紙はたいていそうなのですが、これもながくて、纏《まとま》りのないものです。事件に直接関係のあるところだけ読みましょう。

『セバスチアンを馘《くび》にしなきゃならないようなことになりはしないかと、非常に案じています。彼の料理の腕は神のごときものですが、悪魔か類人猿のような兇暴《きょうぼう》さを持っていて、わたしは彼に対して、まったく具体的な恐怖を感じています。先日、わたしたちは、聖灰水曜日の昼食として、いかなるものが正式であるかにつき、議論をたたかわしたが、彼の頑迷さに悩まされ腹もたったので、ついにわたしは、彼の顔にコーヒーをぶっかけ、それと同時に、身のほども知らぬ猿だと云ってやったのです。実際には、コーヒーはいくらも顔にかからなかったのですが、人間がこれほど嘆かわしい自己抑制の欠如を示すところを、わたしは、未《いま》だかつて見たことがありません。彼は立腹のあまり、殺してやるなどと口走っていましたが、わたしは笑いとばし、その場だけのことととして、すべては終るものだと思っていたのですが、それ以来何度か、彼がひどく面白からぬ態度で、おそろしい顔をし、なにごとか呟《つぶや》いているところを見かけましたし、最近庭園を、殊にイタリヤ風の庭を夕方など歩いている時、わたしの跡をつけているらしいのです』

死体が発見されたのは、このイタリヤ風の庭の石段の上でした」とエグバートは注釈して、また先を読んだ。

「『おそらく、危険は杞憂《きゆう》にすぎないでしょう。しかし、彼がわたしの家からやめてくれれば、もっと安心です』」

エグバートは手紙を読みおわってちょっと沈黙していたが、伯父がなんとも云わないので、すぐにつけたした。「もし動機がないということだけで、セバスチアンは起訴をまぬがれたのでしたら、この手紙によって、局面はちがって来ると思いますね」

「その手紙を、誰かほかのものに見せたことがあるかい」とラルワース卿は、その証拠の手紙へ手をのばしながらたずねた。

「いいえ」とエグバートは云って、テーブル越しに手紙を渡した。「誰よりもまず伯
父さんにお話しようと思ったものですから。あッ、なにをなさるんです」
エグバートの声はほとんど叫び声に近かった。ラルワース卿が手紙を燃えている煖《だん》
炉《ろ》の真中へ、ものの見事に投げこんだのだ。小さい、きれいな字を書いた紙が、ちぢ
んで黒い灰になった。
「いったいなんのためにそんなことをなさったんです」とエグバートはあえいで云っ
た。「あの手紙は、セバスチアンとあの殺人とを結びつける、われわれの持っている
唯一《ゆいいつ》の証拠だったんですよ」
「だからこそ焼いたんだよ」とラルワース卿は云った。
「でも、なんであの男をかばおうとなさるんです」とエグバートは叫んだ。「ありふ
れた人殺しじゃありませんか」
「ありふれた人殺しかもしれないが、なかなかありふれた料理人じゃないからな」

解説

中《なか》村《むら》能《よし》三《み》

「泊り客の枕《まくら》もとに、O・ヘンリ、あるいはサキ、あるいはその両方をおいていなければ、女主人として完璧《かんぺき》とはいえない」とE・V・ルーカスが批評してからというもの、この作家の作品をそなえておかないことには、気のきいた家庭とは言えないほどになったという。

イギリスやアメリカで、これほど親しまれているこの作家が、わが国では、まだほとんど紹介されていないというのは不思議である。O・ヘンリのほうは、非常に多くの人たちから愛読されているというのに。

サキ（本名、ヘクタア・ヒュウ・マンロウ）は、一八七〇年十二月十八日に、ビルマのマキヤブで生れた。父がビルマ警察の長官として勤務中だったからである。母が二歳のとき死んだので、彼は故国イギリスへ帰され、二人の伯母の厳格な監督のもとに教育された。この子供時代の生活は、彼の人間および作家としての形成に大きな影響をあたえたとみえ、後年の作品の中にも、『伯母』なる人物が、強迫観念のように出没し、恐怖を裏返しにした諷刺《ふうし》として書かれている。学業をおえ、退職した父の手許《てもと》にかえされると、二人はノルマンディ、ドイツ、オーストリヤ、スイスと旅行してまわった。

二十三歳のとき（一八九三年）、父がビルマ警察に仕事を見つけてくれたので、十三カ月間ビルマに勤務していたが、その間に七回もマラリヤの発作を起したので、やめてしまった。それ以後、ロンドンで文筆業にたずさわり、一九〇〇年には、彼の最初にして唯一《ゆいいつ》の著述『ロシア帝国の興隆』を刊行した。一九〇二年、「モーニング・ポスト」紙の海外特派員となり、六年間をバルカン諸国、ロシア、パリなどで過した。父と行った海外旅行、特派員としての海外生活は、彼の作品の取材範囲をひろめるのに、大いに役立っている。最初の短編集『レジノルド』は、はじめ「ウエストミンスタア・ガゼット」に発表され、一九〇四年に単行本として刊行された。ついで『ロシアにおけるレジノルド』が一九一〇年に出版され、二年後、最初の長編小説『アンベアラブル・バシントン』ついで『ホエン・ウイリアム・ケイム』『ザ・ウエストミンスタア・アリス』などの長編小説、『クロヴィス物語』『野獣と超野獣』『平和的玩具』『四角な卵』の短編小説集が出版された。

第一次世界大戦がはじまると、将校にという勧めをことわり、一兵卒として志願し、一九一六年十一月十三日、フランス戦線で勇敢に戦い、はなばなしい戦死をとげた。サキの伝記を書いた妹は、彼の性格として、気紛《きまぐ》れ、ユーモアのセンス、動物に対する愛情、スコットランド高地人であるという誇り、金銭に対する無関心をあげている。これらは、彼の現実の生活ばかりでなく、作品の中にもあらわれていて、気紛れは嘘《うそ》つきに、ユーモアは諷刺に、動物に対する愛情は、しばしば残酷なまでの動物物語に変形されている。

T・C・スクェアが言うように、サキは「真面目《まじめ》な顔をして嘘をつく男」であり、彼がつく嘘は、表面ユーモアでやわらげられてはいるものの、裏面には人の心を凍らせるような、冷たい諷刺をつねにかくしている。とかく諷刺とは読者にあるモラルをおしつけがちなものだが、サキの場合の諷刺には、そんなモラルさえない。『アンベアラブル・バシントン』のとびらに、「この物語にはモラルはない。なにほどかの悪を指摘しているにしても、この物語は、それに対する療法を与えるものではない」と自分自身書いているように、彼の諷刺は、突きはなした、救いのない、一見、冷厳無残なものとしか思われない。

O・ヘンリに劣らぬほど愛読者を持っているとはいえ、O・ヘンリとはっきり区別されるところは、ここにあるらしい。サキはほとんどニヒルといっていいほどの悲しみを、うちに湛《たた》えていながら、それをユーモアやウィットの糖衣でつつみ、読者の前に提供する。しかし、口にした瞬間はあまくても、読者は、すぐにこの糖衣の下の苦い味をあじわわざるを得ない。サキは残酷非情だと、よく言われる。たしかにその通りであるし、これは諷刺作家としては、いたしかたないことである。しかも、その残酷非情さまでが、読者には、なにかほのぼのとした人間味と、人間の運命や生活の厳しさを感じさせる。要するに、サキの作品は、非情、ユーモア、ペーソス、諷刺などを軽く調理した冷料理である。とは言っても、けっしてアメリカ流の罐詰《かんづめ》料理ではない。食べてみると、料理人の腕前がいたるところに利《き》いていて、いろいろな味がする。飲みこんで思いかえしてみると、冷料理でありながら、温かみもあり、複雑な味覚も残っている。時には、飲みこむのに抵抗を感ずるほど、消化のわるそうな塊りもあるが、できたての生クリームのように、ほのかな香りをただよわせながら、食道を通って行く快感にうっとりすることもある。このことは、O・ヘンリの諸作品と、たとえばこの作品集におさめた『宵闇《よいやみ》』とを比較してみれば、よくわかると思う。舞台はまったくO・ヘンリのものである。登場人物も、話の筋や結末ですら、O・ヘンリにちかい。それでいながら、二人の作家の作風のちがいは、あざやかに示されている。

Ｏ・ヘンリとサキとは、ある意味では対蹠的《たいせき》に、ある意味では同じように、読者のエモーションをひきずりまわすのである。

サキの百三十五編におよぶ短編のうちから、ここには二十一編をえらんだ。選択の基準はほとんどない。しいて言えば、わが国の読者に興味がありそうだと思ったもの、乃至《ないし》は、なるたけ傾向のちがったものというくらいのところである。したがって、当然、選択の範囲にはいるべき作品で除外したものもあるし、六つの短編集からまんべんなく選ぶといった努力もしなかったので、ある短編集にかたよった傾向がみえないこともない。短編集の標題にさえなっているレジノルドとか、クロヴィスを主人公とした作品が、この作品集におさめられなかったのも、訳者の意図ある選択の結果ではない。この訳稿を新潮社に渡してから、グレアム・グリーンが選んだ『サキ傑作集』という本が手に入った。調べてみると、私とグリーンと二人とも選んだのは七編しかない。私が収録しなかった作品で、私がぜんぜん問題にしなかった作品を、グリーンが選んだものもあるが、なるほどと思う作品もある。もし、他日、もっとこの作家の作品を紹介する機会があったら、グリーンの選択は、ある示唆《しさ》を与えてくれるだろうと思う。なお、この『サキ傑作集』の巻頭に、グリーンはかなりながい序文を書き、その中で、子供時代の不幸を一生涯ふりはらうことのできなかった作家として、ディケンズとキプリングをあげ、特にキプリングとサキとの相似を示している。同じく植民地に生れ、イギリスで教育された二人の比較は興味ぶかいと思われる。彼の筆名『サキ』は、オマル・カイヤム（一〇二五？——一一二三？　イランの天文学者、数学者、哲学者、詩人）の作とされる四行詩（ルバイヤアト）からとったものである。

（一九五八年一月）

本作品中には、今日の観点からみると差別的表現ととられかねない箇所が散見しますが、作品自体のもつ文学性ならびに芸術性、また訳者がすでに故人であるという事情に鑑み、原文どおりとしました。

（新潮文庫編集部）

青柳瑞穂訳　モーパッサン短編集（一・二・三）

モーパッサンの真価が発揮された傑作短編集。わずか10年の創作活動の間に生み出された多彩な作品群から精選された65編を収録する。

モーパッサン　青柳瑞穂訳　脂肪の塊・テリエ館

〝脂肪の塊〟と渾名される可憐な娼婦のまわりに、ブルジョワどもがめぐらす欲望と策謀の罠――鋭い観察眼で人間の本質を捉えた作品。

モーパッサン　新庄嘉章訳　女の一生

修道院で教育を受けた清純な娘ジャンヌを主人公に、結婚の夢破れ、最愛の息子に裏切られていく生涯を描いた自然主義小説の代表作。

グリム　植田敏郎訳　白雪姫　―グリム童話集（Ⅰ）―

ドイツ民衆の口から口へと伝えられた物語に愛着を感じ、民族の魂の発露を見出したグリム兄弟による美しいメルヘンの世界。全23編。

グリム　植田敏郎訳　ヘンゼルとグレーテル　―グリム童話集（Ⅱ）―

人々の心に潜む繊細な詩心をとらえ、芸術的に高めることによってグリム童話は古典となった。「森の三人の小人」など、全21編を収録。

グリム　植田敏郎訳　ブレーメンの音楽師　―グリム童話集（Ⅲ）―

名作「ブレーメンの音楽師」をはじめ、「いばら姫」「赤ずきん」「狼と七匹の子やぎ」など、人々の心を豊かな空想の世界へ導く全39編。

アンデルセン
矢崎源九郎訳

人魚の姫
—アンデルセン童話集(I)—

人間の王子さまに一目で恋した人魚の姫は、美しい声とひきかえで魔女に人間にしてもらうが……。表題作などアンデルセン童話16編。

おやゆび姫
—アンデルセン童話集(II)—

アンデルセン
山室　静　訳

孤独と絶望の淵から"童話"に人生の真実を結晶させて、人々の心の琴線にふれる多くの作品を発表したアンデルセンの童話15編収録。

絵のない絵本

アンデルセン
矢崎源九郎訳

世界のすみずみを照らす月を案内役に、空想の翼に乗って遥かな国に思いを馳せ、明るいユーモアをまじえて人々の生活を語る名作。

かわいい女・犬を連れた奥さん

チェーホフ
小笠原豊樹訳

男運に恵まれず何度も夫を変えるが、その度に夫の意見に合わせて生活してゆく女を描いた「かわいい女」など晩年の作品7編を収録。

かもめ・ワーニャ伯父さん

チェーホフ
神西　清　訳

恋と情事で錯綜した人間関係の織りなす日常のなかに、絶望から人を救うものは忍耐であるというテーマを展開させた「かもめ」等2編。

桜の園・三人姉妹

チェーホフ
神西　清　訳

急変していく現実を理解できず、華やかな昔の夢に溺れたまま没落していく貴族の哀愁を描いた「桜の園」。名作「三人姉妹」を併録。

カポーティ
村上春樹訳
ティファニーで朝食を

気まぐれで可憐なヒロイン、ホリーが再び世界を魅了する。カポーティ永遠の名作がみずみずしい新訳を得て新世紀に踏み出す。

カポーティ
河野一郎訳
遠い声 遠い部屋

傷つきやすい豊かな感受性をもった少年が、自我を見い出すまでの精神的成長の途上でたどる、さまざまな心の葛藤を描いた処女長編。

カポーティ
大澤薫訳
草の竪琴

幼な児のような老嬢ドリーの家出をめぐる、ファンタスティックでユーモラスな事件の渦中で成長してゆく少年コリンの内面を描く。

カポーティ
川本三郎訳
夜の樹

旅行中に不気味な夫婦と出会った女子大生。人間の孤独や不安を鮮かに捉えた表題作など、お洒落で哀しいショート・ストーリー9編。

カポーティ
佐々田雅子訳
冷血

カンザスの片田舎で起きた一家四人惨殺事件。事件発生から犯人の処刑までを綿密に再現した衝撃のノンフィクション・ノヴェル！

カポーティ
川本三郎訳
叶えられた祈り

ハイソサエティの退廃的な生活にあこがれるニヒルな青年。セレブたちが激怒し、自ら最高傑作と称しながらも未完に終わった遺作。

サルトル
伊吹武彦他訳

水いらず

性の問題を不気味なものとして描いて実存主義文学の出発点に位置する表題作、限界状況における人間を捉えた「壁」など5編を収録。

サガン
河野万里子訳

悲しみよ こんにちは

父とその愛人とのヴァカンス。新たな恋の予感。だが、17歳のセシルは悲劇への扉を開いてしまう——。少女小説の聖典、新訳成る。

メリメ
堀口大學訳

カルメン

ジプシーの群れに咲いた悪の花カルメン。荒涼たるアンダルシアに、彼女を恋したがゆえに破滅する男の悲劇を描いた表題作など6編。

S・モーム
中野好夫訳

雨・赤毛
—モーム短篇集I—

南洋の小島で降り続く長雨に理性をかき乱されてしまう宣教師の悲劇を描く「雨」など、意表をつく結末に著者の本領が発揮された3編。

S・モーム
中野好夫訳

人間の絆（上・下）

不幸な境遇に生まれ、人生に躓き、悩みつつ成長して行く主人公の半生に託して、誠実な魂の遍歴を描く、文豪モームの精神的自伝。

S・モーム
金原瑞人訳

月と六ペンス

ロンドンでの安定した仕事、温かな家庭。すべてを捨て、パリへ旅立った男が挑んだものとは——。歴史的大ベストセラーの新訳！

ヘミングウェイ
高見浩訳

われらの時代・男だけの世界
—ヘミングウェイ全短編1—

パリ時代に書かれた、ヘミングウェイ文学の核心を成す清新な初期作品31編を収録。全短編を画期的な新訳でおくる、全3巻の第1巻。

ヘミングウェイ
高見浩訳

勝者に報酬はない・キリマンジャロの雪
—ヘミングウェイ全短編2—

激動の'30年代、ヘミングウェイは時代と人間を冷徹に捉え、数々の名作を放ってゆく。17編を収めた絶賛の新訳全短編シリーズ第2巻。

ヘミングウェイ
高見浩訳

蝶々と戦車・何を見ても何かを思いだす
—ヘミングウェイ全短編3—

炸裂する砲弾、絶望的な突撃。スペインの戦場で、作家の視線が何かを捉えた——生前未発表の7編など22編。決定版短編全集完結！

ヘミングウェイ
高見浩訳

武器よさらば

熾烈をきわめる戦場。そこに芽生え、激しく燃える恋。そして、待ちかまえる悲劇。愚劣な現実に翻弄される男女を描く畢生の名編。

ヘミングウェイ
高見浩訳

日はまた昇る

灼熱の祝祭。男たちと女は濃密な情熱と血のにおいに包まれて、新たな享楽を求めつづける。著者が明示した〝自堕落な世代〟の矜持。

ヘミングウェイ
福田恆存訳

老人と海

来る日も来る日も一人小舟に乗り出漁する老人——大魚を相手に雄々しく闘う漁夫の姿を通して自然の厳粛さと人間の勇気を謳う名作。

Author : Saki

サキ短《たん》編《ぺん》集《しゅう》

新潮文庫　サ－3－1

昭和三十三年三月十五日　発　行
平成十九年九月二十日　五十六刷改版
平成二十七年七月十日　六十四刷

訳　者　中《なか》村《むら》能《よし》三《み》
発行者　佐藤隆信
発行所　株式会社　新潮社
郵便番号　一六二―八七一一
東京都新宿区矢来町七一
電話　編集部(〇三)三二六六―五四四〇
読者係(〇三)三二六六―五一一一
http://www.shinchosha.co.jp

価格はカバーに表示してあります。
乱丁・落丁本は、ご面倒ですが小社読者係宛ご送付ください。送料小社負担にてお取替えいたします。

印刷・二光印刷株式会社　製本・株式会社植木製本所

ISBN978-4-10-202601-4 C0197